Haki Stërmilli

Sikur të isha djalë

Risjellë në shqipen e sotme

MW00649496

Zonja Bovari

KLASIKËT
RL BOOKS

BALZAK

Xha Gorioi

KLASIKËT
RL BOOKS

Anne Frank

DITARI I ANA FRANKUT

RL BOOKS

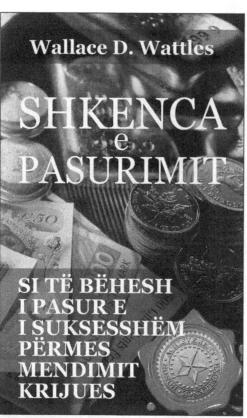

Wallace D. Wattles

SHKENCA e PASURIMIT

SI TË BËHESH I PASUR E I SUKSESSHËM PËRMES MENDIMIT KRIJUES

Dritan Kiçi

Zhvillimi i komunikimit dhe shmangia e belbëzimit te fëmijët 2-6 vjeç

Ilir Magjistari

Nata si e Dekameronit

tregime e novela

Dritan Kiçi

BELBËZIMI
MBAJTJA E GOJËS

PSE NDODH SI TA KORRIGJOSH

Çfarë duhet të dish dhe një metodë praktike që ka ndihmuar mijëra belbëzues të arrijnë rrjedhshmërinë në të folur

RL BOOKS

Dritan Kiçi

LINDJA E PERËNDISË SIME

poezi

Arbër Ahmetaj

Fletëhyrje për në varr

RLBOOKS

I huaji, ai kosovari

Arbër Ahmetaj

roman

RL BOOKS

Arbër Ahmetaj
Varri i braktisur
roman

ARBËR AHMETAJ
POEZI

RL BOOKS

Elektra Haxhia Çapaliku

BUKË E KRYPË E ZEMËR

Receta gatimi dhe shënime të tjera nga Shkodra

RLBOOKS

REVISTA  LETRARE

Shtëpia e letërsisë shqipe

Vjeshtë, 2022

REVISTA LETRARE

Botuese   Ornela Musabelliu
Kryeredaktor   Arbër Ahmetaj
Redaktore e përkthimeve   Eleana Zhako

Dritan Kiçi, CEO
***ACC VZW** - BE722862311*
***Revista Letrare** ®*
https://www.revistaletrare.com
info@revistaletrare.com

Revista Letrare - Vjeshtë, 2022
ISSN 2736-531X-20211
ISBN 978-2-39069-010-8

© *Botimi i Revistës letrare në print mundësohet nga*
RL BOOKS®
https://www.rlbooks.eu
admin@rlbooks.eu

Në kopertinë:
"Shtojzovallja e ditës së verës",
akrelik në telajo, 180 x 100 cm
Azem Kuçana, *2011*

Përmbajtja

KRISTINA FRAGKESKAKI

Nina

Një kece na jepnin që të kalonim gjithë vitin. Madje edhe me stampë. Si të na mjaftonte një kece? Nuk ishim një e dy, por gjashtë gojë. Tre fëmijë, mamaja, babai dhe e gjashta, gjyshja. Gjyshi kishte vite në burg. Për hiçgjë e futën. E pa dikush të bënte fshehtas kryqin dhe e spiunoi. Kur e morën, gjyshja fshehu ikonat nën dyshekë. Përkulej para se të flinte dhe i puthte. Atëherë nuk dinim nga këto gjëra. Më pas i morëm vesh.

E thernim kur fillonte i ftohti i madh, që të mos qelbej erë. Kishim një frigorifer të vogël akulli dhe vinim brenda gjysmën e mishit. Gjysmën tjetër e ndante mamaja në thela dhe e ruante në qyp balte. E cigarriste në dhjamin e saj dhe e sistemonte. "Nuk është nevoja ta mbajmë brenda", na thoshte. "Duron". Hanim ndonjëherë nga pak. E ruanim kryesisht për mysafirët. Që të kishim ç'të gatuanim. Që të mos turpëroheshim. Vinin në Vlorë për punë.

Një kec për gjashtë persona – ishte urdhri. Atë vit, xhaja im solli fshehtas në fshat një kece të porsalindur. "Fati juaj", tha. Frikë ishte, por e mbajtëm. E mbanim si fëmijë, flinte me ne tok. Unë shtrihesha bashkë me motrën dhe atë e vinim në mes. Kafsha e gjorë kruspullosej nën sqetullën time. Gjithë ditën brenda në shtëpi. E fshihnim ku të mundeshim, pasi kishte spiunë gjithandej. Në rast se na kuptonin, mjerë ne. I dhamë dhe emër. Nina. Gjatë verës e nxirrnim tek-tuk në oborr që të merrte pak ajër. Qe tashmë e rritur, ishte bërë gjithë ajo kece. I vishnim rroba që mos ta kuptonin spiunët rrotull. S'do e harroj kurrë që e vishnim si të qe njeri. Fund, bluzë dhe shami. Nga larg nuk e kuptoje. Mund ta merrje edhe për ndonjë komshi. Dilnim në rrugë që të siguroheshim që s'na shihte kush. Dukej tamam sikur të qe grua.

Kullosnim kecen tjetër, atë të shtetit, lart-poshtë, lart-poshtë, që të mos binim në sy. Ndonjëherë thoshte mami: "Sivjet do të ngopemi me mish, do të na mbushet barku". Shtireshim sikur s'dëgjonim. Por, edhe ajo nuk na vështronte në sy kur e nxirrte nga goja. E mbushnim Ninën me puthje, përkëdhelira e ninulla, ngopej ajo, ngopeshim edhe ne. Madje i bëmë edhe kukulla me ca pëlhura të vjetra, që i mbushnim me dhe. "Nina-nana" i këndonim dhe na ngulte sytë, i flisnim dhe na kuptonte. Tamam si njeri.

Një ditë, babai e futi në një thes dhe e shpuri larg. "Jemi në rrezik", na tha, "s'mund ta mbajmë më fshehur". U kthye prapë me thesin dhe zuri shtratin i ligështuar. Një hije pikëllimi iu vizatua që atëherë në fytyrë. Ne qanim dhe britnim për të, i këndonim, gati po marroseshim. Zura edhe unë shtratin me temperaturë. Dhimbje të tillë s'pata ndjerë ndonjëherë. Zoti më faltë, por as atëherë kur humba të mitë. Mamaja e bëri zemrën gur, e lau mishin mirë-mirë dhe e vajtonte. "Ah Nina ime, ah bija ime". Ua dërgoi mishin e saj disa të afërmve tanë në Tiranë. "Ne nuk e hamë Ninën", na tha. "Ashtu siç bëmë gjithë këto vite, do të bëjmë edhe tani. U mësuam tashmë".

***

Kur babai u rëndua, mora autobusin dhe vajta ta shoh. I qëndrova tri ditë te koka. Nga fundi, çuditërisht hapi sytë, u ngjall dhe më kërkoi.

"Mos guxo të vishesh me të zeza dhe mos u mërzit. Dua të prehem. Si e bëra atëherë?".

"Çfarë?", e pyeta.

Më bëri nojmë t'i afrohesha.

"Që thera Ninën", më tha.

Përktheu nga greqishtja Eleana Zhako

2

ADEM GASHI

Kofshët dhe shpatullat

Kur isha i vogël i ngatërroja shpesh
të dytat me të parat.

Më vonë e kuptova
se kofshët qenë rezervuar për kafshime qensh,
ndërkaq shpatullat
për të bartur drurët dhe shkarpat.

Edhe më vonë akoma
ndërrova mendje përfundimisht;
kofshët dhe shpatullat
s'ishin veçse perceptime të ndryshme
të masës së mishtë.

Marrëzia e të dhënit këshilla

Mos u bëj e mençur,
E dashur,
mos u bëj e marrë!

E para s'është veçse gradacion i vuajtjes,
E dyta, ah e dyta,
Një fluturim avdall mbi greminë!

Se ku e kam parë
Marrëzinë e të dhënit këshilla!

Bëj çfarë të duash,
E dashur,
Në çdo variant ti mbetesh
Drita e ditëve të mia.

Nganjëherë

Nganjëherë të vjen të thuash:
S'ka më kohë për të bërë gjë.

Duke u ndier vonë në gjithçka
e sheh se të tepron edhe koha
si një ditë e përmbysur.

Dhe i thua vetes:
Jam ai i pari a ky tjetri?

Pa e parë atë zog shqiponje
u bë kaq mot,
harruar paskam unë
a hidhëruar m'u paska ai, o Zot!?

Një natë dhe një natë tjetër

Një natë në mesnatë
po kundroja pallatet nga kati i pestë.

Se si fikeshin dritat një nga një,
nga dy e tri,
me ritëm të çrregullt,
dhe më ngjante me ritmin e shuarjes së jetës,
të xhinsit njerëzor.

Natën tjetër,
pas një defekti të përgjithshëm,
u fikën të gjitha dritat përnjëherë,
gjithçka e gjallë dhe e vdekur
u mbyt në terr.

Ç'katastrofë!

4

Tej qiellit mbi re

Tej qiellit mbi re
shigjetuar më ka shikimi yt,
si të kishte marrë zjarr në rrufe.

Dhe çuditërish,
si asnjëherë, si askund,
më vjen të të dua edhe më shumë.

Dritat e qytetit kandila të djegur
asgjë s'më hyjnë në punë
kur shoh sytë e tu midis territ.

Megjithatë,
nuk ia dal të të ul këtej kodret
se shenjtëria nuk përtoket.

Të vjen të mos besosh

Të vjen të mos besosh nganjëherë
Se si bëhet nata ime e bardhë
e dita krejt e zezë,
se si mbrëmjet rëndohen me mall
e mëngjeset me krahnezë.

S'e di me hir a me pahir
ramë në kafazin e lirisë me zinxhir,
si të mallkuar për të mos u parë,
nga njerëzit a perënditë.

Sa i gjatë motmoti pa ty!
Dhe më vjen të mos e besoj:
Pas myjës së dimrit në sy pranvere
m'u shfaqe si një rreze,
vuajtjen duke e kënduar.

S'di të të them se ç'mëkate paskemi larë
faqes së dheut harruar,
se në ç'beteja paskemi rënë
në ndonjë yrt të mallkuar.

VIRION GRAÇI

Zgjimi

Artani kish kohë që nuk merrej më me skulpturë. Pas punës së diplomës në Akademinë e Arteve të Bukura, punët e tjera i numëronte me gishtat e njërës dorë. Zuri të punonte në një punishte mermeri, ku porositeshin kryesisht pllaka varri, skulptura me shenjtorë në gips, zogj e turli shenjash përkujtuese, që të kamurit - edhe të varfrit në garë me të kamurit - porosisnin për të afërmit e tyre në botën tjetër. Lekë pothuajse nuk i mbeteshin në xhep; aq lodhej mendërisht e fizikisht, sa mezi priste të dilte nga puna e të rrumbullakosej në pijetoren më të afërt. Prishja e parave dhe zhytja në borxhe e telashe është një mënyrë e sigurt për t'u bërë artist i madh, endacakëria dhe rrënimi janë mësuesit më të përshtatshëm për çdo krijues në formim. Artani nuk donte të eksperimentonte në këtë mënyrë. Ai thjesht shtynte orët e dëshpërimit. Kish disa shokë të varfër si veten, me të cilët kish kaluar ditë të bukura dikur. Me ta hante, pinte e këndonte, sa i soste krejt ato që kish fituar ato ditë dhe ato që mund të kish hequr mënjanë. Mundësitë për të jetuar përmes talentit si skulptor i diplomuar shkëlqyeshëm po zvogëloheshin dita-ditës. E vetmja mundësi reale për të bërë para ishin porositë për skulptura monumentale ose zbukurimi i ndonjë vile, fund e krye, punë me akord. Këto janë me leverdi, nuk i prish dot menjëherë ato që fiton nga punë të tilla. Pas shumë ngjarjesh të papëlqyeshme me ankime e kanosje klientësh mistrecë, që s'dinin as vetë se çfarë lloj pavdekësie për të vdekurit e tyre kërkonin prej skulptorit, dita e mirë mbërriti. Një emigrant i vjetër, i riatdhesuar tani vonë në Shqipëri, arriti të kontaktojë me të. Ishte xhaxhai i një shoku. Xhaxhai do të bënte zbukurime në një vilë trekatëshe, që kish porositur për kënaqësinë e tij, për ditët e pleqërisë; nipi, i papunë, i diplomuar dhe ai tek artet e ndërmjetësoi me Artanin. Nuk ishte problem për t'u marrë vesh për çmimin; gjetën një të mesme të pranueshme, pa shumë debate dhe secili nisi punën e tij. Xhaxhai shkonte e vinte oborrit të vilës duke parë me kureshtje dhe kënaqësi punimet. Artani filloi të bënte forma për derdhjet në gips, gdhendje në dru e në mermer. Nipi vinte të mbante me llafe xhaxhain kur Artani punonte dhe këtë të fundit kur xhaxhai largohej prej andej. Ishte i këndshëm nipi në biseda, por jo më shumë se gjysmë ore, mandej bëhej i mërzitshëm, përsëritës, i padurueshëm, torturues. Artani shumicën e kohës nuk e dëgjonte. I zënë me punë, por kur rrinte të merrte frymë, ia falte llafazanërinë shokut të tij - fundja ai i kish gjetur të paktën pesë muaj punë: pagesa e sigurt, kushtet e punës të pranueshme.

Xhaxhai ishte arratisur nga Shqipëria në vitet pesëdhjetë, kishte provuar në SHBA punë nga më të lodhshmet, siç thosh nipi, ishte martuar disa herë, sikurse qe e zakonshme atje, kish gjashtë fëmijë, por vetëm vajza e vogël, Shilla, i fliste rregullisht në telefon. Për fëmijët e tjerë nuk shfaqte asnjë interes, sepse as ata nuk ndiheshin mirë nga ndërhyrje e pyetje të llojit atësor. Ai i ka në mendje ata, e sqaroi nipi Artanin - ata, sikurse është rregull i pashkruar në Amerikë, janë indiferentë ndaj prindërve. Gruaja e fundit e xhaxhait kish qëndruar në Australi. I pëlqente klima e atij vendi dhe nuk mund të fillonte një aventurë të rrezikshme në Shqipëri, vend nga i cili, i shoqi kish ikur dikur nga sytë këmbët, arratisur si nga ferri, si nga çmendina.

Në shumë sjellje, xhaxhai kish mbetur shqiptar, nuk e numëronte kurrë reston që i kthenin kur blinte diçka, kish dëshirë të qeraste ata që ishin më të mëdhenj se ai në moshë, i pëlqente të jepte lëmosha të vogla për të vobektit kur i aviteshin me dorën e shtrirë. Pikërisht këto cilësi, bujaria dhe mosbërja biznes edhe me vogëlsirat e përditshme, e detyruan Artanin të tregohej i sinqertë me të. Pyetjes sa të bën puna, ai iu përgjigj aq sa ishte minimumi, megjithëse pikasi te xhaxhai gatishmërinë për të pranuar çdo shifër.

Kam punuar nga gjashtëmbëdhjetë orë në ditë, nga e hëna deri të dielën. Gjatë festave dhe pushimeve që bënin të tjerët unë punoja, shpjegoi një ditë xhaxhai. Tregoi disa histori, ku për të dhe për çdo emigrant si ai, po t'i besoje, të ngjallej mëshirë dhe keqardhje. Asnjë vend nuk ka nevojë për njerëz, të gjithë duan skllevër, kafshë pune, qenie të zhveshura nga personaliteti dhe nevojat njerëzore fillestare, tha një herë xhaxhai.

- Ike si antikomunist dhe u ktheve të flasësh si komunistët, - i tha pa u menduar gjatë nipi.

Xhaxhai nuk iu përgjigj menjëherë. Ndezi një puro, tymosi dhe tha:

- Nuk e di njeriu i shkretë përse ikën, çfarë bën, si e ka fundin.

Kjo lloj shprehjeje e tij e entuziazmoi nipin. Të diplomuarit që nuk gjejnë punë, veçmas ata të akademisë së arteve, mezi i presin kësi rastesh për të arsyetuar pasivitetin, limontinë, shkuarjen dëm të kohës, por edhe për të shpalosur krejt prozën poetiko-filozofike të grumbulluar në heshtje si helmi i gjarprit nën gjuhë.

- E di unë, - briti nipi, patetik e qesharak, si orakull i dalë mode. Mori në grushte ca çimento: - ja, pluhur e hi si kjo çimento do të përfundojmë, nga presidenti i SHBA-së, nga rokfelerët e rothçildët deri te çdo kopil i lënë nga tutorët te dera e kishës për të lypur.

Artani vazhdoi punën. Nipi, si me të qeshur, shkujdesur e pa frerë, si një ortek bore në rënie të lirë, u fut në luftë pikëpamjesh, përplasje mendimesh, sharje e grindje me xhaxhain. Flisnin me zë të lartë. Xhaxhai mbronte parimet e tij, Artani justifikonte mungesën e parimeve. Secili kërkonte përligjje teorike për mënyrën e tij të jetesës, asgjë më tepër. Më sulmues qe nipi, i vuri disa epitete fyes xhaxhait, ndërsa ky e quajti rob koti. Kur e humbi fare durimin, nipi thirri:

- Sa herë ke bërë pushime? Sa ditë ke kaluar me fëmijët e tu? Kur je parë për herë të fundit me tët shoqe? I njeh po t'i takosh në rrugë fëmijët e fëmijëve?

Xhaxhai u mat të kundërpërgjigjej përsëri: "Ti je rob koti", por u kujtua për praninë e Artanit dhe i foli:

- Artan, shko pi ndonjë freskuese, my son, te klubi matanë.

Llogarinë ma lër ta paguaj unë.

Artani, i lodhur, nuk priti urdhër të dytë. Mori një sanduiç, ujë me gaz dhe u ul pranë dritares. U përpoq të imagjinonte si po ecte konflikti midis nipit dhe xhaxhait. Të gjitha përfytyrimet e bënin të qeshte. Të dy ishin qesharakë, secili në mënyrën e tij, sidomos xhaxhai; kish punuar si skllav për gjysmë shekulli, tani, për një kapriço boshe, në prag të vdekjes, po bënte një vilë. Çfarë donte të tregonte me vilën, kurorëzimin e jetës së tij, apo kotësinë e saj?

Nipi shkoi i pari në klub, nuk piu asgjë, veprim i rrallë për të, sidomos kur gjente shokë të shtruar më parë. Dukej i zemëruar, i dridheshin pak duart.

- E dhjeva, e dhjeva me xhaxhain. E lëndova, u fye, e nisa me shaka, por fjala iku si e vërtetë. E dhjeva fare, Artan. Më fyeu edhe ai, më tha rob koti. Unë i kujtova boshësinë e një jete të shkuar dëm, në punë krahu, pa zbavitje dhe gëzime njerëzore.

Artani nuk kish çfarë të shtonte. I përsëriti kërkesën për ta qerasur dhe ngriti supet i zënë në faj kur tjetri iku me shpejtësi, pa e përshëndetur. Fill pas ikjes së nipit, erdhi xhaxhai. Hodhi sytë e skuqur nëpër klub dhe iu drejtua Artanit.

- Mbarove?
- Mbarova.
- Vjen dot me mua tani?
- Vij, si jo.
- Dua të të pyes, dua të më përgjigjesh me sinqeritet.
- Natyrisht, me sinqeritet.
- Ti je me shkollë të lartë.
- Kam mbaruar akademinë.

Dolën nga klubi. Shkuan te vila. Xhaxhai futi dorën në një thes të çarë çimentoje. U ngrit pak pluhur, iku me erën.

- Kjo?!
- Çimento. Cilësi e parë. E pavdekshme, siç e porosite, - tha Artani.

- Këto të tjerat? - pyeti xhaxhai, duke parë me vëmendje materialet në oborrin e vilës: tulla, trarë, pllaka, tjegulla, pajisje hidrosanitare.

Artani tundi kokën në shenjë pohimi. Xhaxhai vazhdoi:

- Markë e zgjedhur, cilësi e parë. Një shekull garanci, siç porosite ti, mall cilësor... Lavamani, karriget, muret... Kështu, apo jo?!

Artani nuk u përgjigj. Heshtjen e tij xhaxhai e mori për pohim dhe psherëtiu.

***

Të nesërmen, Artani shkoi pak më vonë se zakonisht. Te vendi i punës gjeti katër-pesë burra, që nuk i njihte. Bisedonin me rrëmujë. Artani i mbajti ca hapat në pritje, larg tyre. Kur u afrua pa se thasët me çimento ishin çarë, çimentua ishte shpërndarë e shpërdoruar, ishin thyer shumica e tjegullave, që ishin shkarkuar prej ditësh në oborr, ishin thyer qindra copash pllakat me të cilat do të shtroheshin banjat dhe korridoret, pajisjet hidrosanitare ishin rrokullisur në një rrëpirë aty pranë. Dukej si fushë beteje. Dëmi ishte i madh. Kish ardhur në panik vetë kryetari i komunës.

- Pra ti dyshon te ky djali, - tha kryetari, duke treguar me kokë Artanin. Xhaxhai ishte ulur te shkallët, mbante kokën me duar dhe vështronte përdhe. Ashtu foli, me sytë poshtë, pa u çuar në këmbë:

- Nuk dyshoj, zoti kryetar, e di kush është shkaktari, ai ma ka bërë punën përshesh, m'i shkatërroi të gjitha, ai, ai m'i theu, kush tjetër do të ngjitej deri këtu?!

- Përse është fjala? – pyeti Artani i habitur, duke lënë në tokë çantën me rrobat e punës.

- Do ta sqarojmë në qendër, - u dëgjua pas shpinës së Artanit një zë i trashë.

Artani u kthye. Ishte polici i zonës, i cili u kishte kthyer shpinën burrave të tjerë dhe po shurronte në drejtim të kundërt me erën.

- Kujtuam se e kish bërë për hakmarrje ish-pronari i tokës, por puna doli më e thjeshtë. Apo jo kryetar? - tha polici, duke kopsitur pantallonat.

- Fare e thjeshtë, - i vuri kapak kryetari, - tjetri i mbush zorrën me bukë, ky vete dhe ia shkatërron të gjitha, pa përfitim, me ligësi, me shpirt të keq. Maskara, kryemaskara me daulle.

Artani deshi të shpjegonte ndonjë gjë, por ata e vunë në mes dhe u nisën bashkë për në qendrën e komunës, aty ku kishte dhe një pikë të përhershme policie. I ndodhur mes turmës zhurmuese, Artani pati mundësi të qëndronte disa sekonda për të parë mbrapa. Xhaxhai rrinte ulur te shkallët e papërfunduara të vilës. Një zbehtësi vdekjeje i dallohej në fytyrë, asnjë gjurmë tjetër nga tronditja e mbasdites së djeshme, asnjë nuancë paqësore në fytyrën e tij të tkurrur tej mase. Artani u tremb – vila mund të pësonte dëme të tjera. Artani mendoi për veten e tij dhe vuri buzën në gaz të hidhur marazi: do ta ndëshkonin shoqërisht autoritetet vendore të thirrura aty nga xhaxhai, me sa kuptohej nga pëshpëshet e tyre, do t'i propozonin zgjidhje kompromisi, nuk do të paguhej për punën e katër muajve dhe problemi do quhej i mbyllur ose, në të kundërt, kallëzim penal për dëmtim prone e drejt e në burg.

Vështirë të binden tani policët e komunës, tha me vete Artani, duke u çliruar nga barra e shqetësimeve për fatin e mëtejshëm të vilës. Askush nuk do ta besojë se xhaxhai, në atë histeri të papërmbajtur vetëgjykimi dhe sinqeriteti i theu në tërbim e sipër tërë ato materiale të çmueshme që kish blerë për të përfunduar së ndërtuari banesën e tij të parafundit. Vështirë të më besojnë. E pamundur.

ROMELDA BOZHANI

Nudo afrikane

Ev' e zeshkët,
më vjen ndër mend historia jonë afrikane,
veshur me lëkurën tënde,
përjetësuar në ata flokë të kreshpëruar.
Si flokë të gjatë, ditët që s'mbaronin,
flokë nate, mendimet.
Nata, mbushur me dëshira të pathëna,
zemër abanozi që merr flakë rastësisht.

U zgjova kur pëshpërima t'u bë fjalë,
si të qe ndëshkim.
Diç thosh ajo lëkurë, diç kërkon çast i fshehtë.
Ti, atje përgjumur, këmbëgjatë, lëkurë ndryshe.
Frymëmarrje, qetësi e palmave.
Mbi ato palma të larta, ëndërrime të gjelbërta.

A të kujtohet ajo tokë e kuqe?!
Dielli ishte i madh si ëndrra e një fëmije.
Me një rreze shfryhej dielli mbi trupin tënd,
mërinë e zotave sfidoje me ngjyrë.
Të nxehta duart e tua,
e zeshkëta e duarve cekte ajrin,
pilivesa sqimatare të sapozgjuara.
Në det nanuriseshin peshkatarët,
që i këndonin pështjellimit brenda teje.
Bluzat, tërë andra shumëngjyrëshe,
flamuj të vjetër që valëviteshin pa lavdi.
Brenda nesh,
nga turpi i ëmbël skuqeshin
sirenat e shthurura që joshnin marinarët.
Unë, i zilepsur nga ngrohtësia e frymës,

shihja rërën e s'pipëtija.
E pashkelur ndonjëherë,
e trazuar nga nxehtësia jote,
rëra vallëzonte.

I dashuri im,
e mbaj mend atë kohë,
diellin,
tokën...
Ende strukeshim nën ëndrra,
kur mërmëritjet me shiun treteshin.
Kaq i madh ishte mëkati,
sa fjala mbet' i fundit mendim.
Quhej pasion brendia që ngatërronte.
Dashuria na ushqente me natyrë,
me bukuri na këndellte.
Një shtrat, dy trupa, nën qiell.

Asgjë s'harrohet, asgjë s'ndryshon.
Deti ende i përgjërohet zbaticës,
peshkatarët torturohen në mendime
veshur me perla, sërish.

Jam pështjellim, e di.
Një pështjellim që s'pranon rendin e përgjithshëm,
në emër të forcës së gjithësisë.
M'i duaj edhe trillet,
kam vendosur të mos jem e përkryer.
Shpesh harroj të jem e mençur,
fjalët më mungojnë, sa herë,
ndërsa jeta na tërheq drejt vetmisë.
Fytyrat e të shkuarës treten, zhduken,
për t'u rishfaqur më vonë, më të bukura.
Zbukuruar fytyrat nga hidhërimi i dashurisë.
Tashmë të lodhur e të vetmuar,
mbrohemi nga epshi i trupit përpëlitës.

E dashura ime,
ke mbetur veç shëmbëlltyrë.
Nga hamaku i vjetër davaritet
aromë kripe, aromë deti, aromë gruaje,
mbi lëkurën e zezë që s'njeh vjeshtë.
Si një gaforre e dyzuar që s'i zë besë erës,
herë i ngjishesh tokës, herë ujit i jepesh.

Një gjethe vendesh të largëta më ndërmend dëshirën,
që lëkundet, dorëzohet, bie.
Në sytë e tu, si thëngjill vetmie, trishtimi.

Zoti në tri kohë

Ati

Biri im,
që dridhjet ia fale tokës si të ishte një grua.
Më mundon kaq shumë kjo hapësirë,
e thepisur hapësira që të shpon,
humnerë e përmbysur, e skajshme, gur mbi shpinë.
Përpëlitja jote njeriut për t'i ngjarë,
rikthim i vonë në fëmijëri më duket,
si kthimi im në thellësi, në oqean.
Bëhu njësh me blunë e shkriu
atje poshtë,
pse balta e njerëzorëve nuk të shtyp,
si hija e rëndë e reve këtu në fron.

Vuajtja më zgjoi një mbrëmje,
vuajtja, llavë që ndez mendimet.
Ti vajtoje për njerinë, pse përbuzjen njihje,
njeriu, pas teje belbëzonte,
amshimin treste në përfytyrim.

Bir, lehtësia s'të ka hije.
Zhuritje dielli petkat e tua nëpër duar,
me dritën e hënës së plotë prek imazhin tënd.
Qofshin ditët e mia grimca mençurie,
që të vdesësh i qetë,
të rilindesh,
të krijosh fytyrën tënde.

Biri

Ati im, që je në qiell!
Jetën e kalova nëpër kalvare dijesh,
për të të njohur.
Prej kohësh, me hamendje gjithësie të mbështjell.
Pak e rrokin hapësirën tënde si zgjidhje dilemash.
Jemi Ti dhe unë.
Pa njerinë, që i pëlqen të plaket,
dru i moçëm në rënie,
pa mishin, që epet si ide e flashkët.
Drita shfaqet përtej jetës së munguar
e fytyrën tënde përkëdhel me fjalë të ngrëna keq.
Ç'nuk do të jepja sytë të t'i fshija!
Në përpjekje ëndrrash përpëlitem, duart të t'i prek.
Jam rritur, zërin tënd duke belbëzuar,
si një dashnor i ndrojtur.

Kënga më zgjoi një mëngjes,
këngë vajtimesh, mërmëritje, epikë e vjetër.
Ti i këndoje, i harruar, mbretërisë tënde, hapësirës.
Unë nën zë, ison i mbaja mbretërisë time, ndërgjegjes.

At, ç'më bashkon me ty e me njerëzit ç'më ndan,
në kryq më vunë të zgjidhja
e si marrëveshje të shpejtë për plagët, gjakun, mendimin,
unë zgjodha fytyrën tënde.

Gruaja

Se shpirti na u mbrujt si një magji e vjetër.
Unë, tokë djerrë që shiu i artë e preku, e njomi, e ngjizi.
Shenjtëria më zgjodhi të jem
një grua që burrë dëshiron.
Në grimca të padukshme ajri u shkri pasioni,
mendime të fshehta që kurrë s'guxova t'i them.
U treta si shpirt i lodhur nën kurora pemësh,
u rropata në mosnjohje, përbuzje, në pritje.
Në kthjellësi pëlhurash të tejdukshme
u mbështollëm, me fatin si lëmsh nëpër duar.
Më pas, u vumë të qëndisnim të Bukurën.
E Mira, prej kohësh, na bënte hije si ulliri i vjetër.
Flokët, në prag fëmijërie të vonë, flisnin
për udhëtime të padenja, për kripë ndjenjash.

Një lutje e zgjatur si një shekull i errët më zgjoi,
një ditë, si në një natë të madhe rëniesh.
Fjalë, zhurmë, vdekje mali, kujë.
Pllakosje, heshtje - gur i rëndë varri, jetë.
.

Tashmë, jam frymë e munguar e njerëzimit,
fjalë e shtypur e mençurisë,
tingull i pakënduar prej dhembjes.
Jam grua që mban në dorë fytyrën e përvuajtur të një biri.

ARTUR BAKU

Transit drite

Sa më thellë zhytej, aq më tepër shpërbëheshin reflekset e dritës, që ormisnin imazhe zogjsh shtegtarë, peshqish fluturues, ketrash, breshkash, lejlekësh. E pa veten në një lëndinë të rrethuar nga pyje frashëri, ndërsa vazhdonte të vraponte me shpresën se do ta kapte lepurin ngjyrë kafe me topa të bardhë. Dëgjoi zërin e një fëmije: "Eja të mbledhim manaferra", e vrapuan së bashku drejt gjethnajës. Ndërsa trupi i kollotumbej nën ujë, e la veten të lirë të rrotullohej poshtë. Dikush u thirri: "Shprehni dëshirën e fundit!". U rrëzuan të dy, të kapur për dore... U dëgjuan krisma; pa shokun e vet të fluturonte mbi një lejlek, që atë çast i dha krahëve për lart. Reflekset e dritës valëzonin mbi sipërfaqe... Krahët e lejlekut, që fluturonte në drejtim të kundërt, lëvizën rrymat e ujit, duke e shtyrë edhe më për lart. Vazhdoi t'u jepte krahëve si rremtarët e akejve drejt fushëbetejës së Ilionit, ndërsa lejleku me shokun e tij u bë një pikë e bardhë tutje në vorbullën blu. Zhvendosja e ujit ishte aq e fuqishme, sa arriti të nxirrte kokën mbi sipërfaqe. U mbush thellë me frymë. Ndjeu rrezet e diellit mbi lëkurë e një puhizë e lehtë zefiri i përkëdheli fytyrën. Qëndroi në atë gjendje ekstaze për disa sekonda, kur papritur një ngërç i mpiu këmbën e majtë. Ndjeu therje në thellomën e shpirtit. Diçka filloi ta tërhiqte përsëri ngadalë përfundi. Reflekset e dritës filluan të zbeheshin si llamba led të skaduara. Ndërsa përpiqej të shkëputej nga ai kurth muskular, papritur e pa veten në funeralin e tij: makina mortore dhe një fëmijë i vogël me një lepur në dorë që i shkonte pas... askush tjetër, as miq, as familjarë. Mbi varr, flakëza qirinjsh përkuleshin si fije bari nga një puhizë zefiri. Ajo gjendje transi nuk zgjati shumë.

- Jo, s'ke vdekur, - i tha fëmija me lepur.
- Jam në ëndërr.

- Si mund të jesh në ëndërr kur trupi ndjen lagështirën e ujit? - ia ktheu ndërsa ledhatonte lepurin.

- Duhet të jem shndërruar në amfib, evolucioni ka bërë të veten, - pastaj u kujtua, - Po lepuri si mund të jetojë nën ujë?!

Trupi vazhdonte të binte. Një rrymë e ftohtë uji e goditi në gjoks. I rrodhi gjak. Pastaj kuptoi se ishte bisturia e ftohtë e mjekut ligjor, që po i bënte autopsinë:

- Ka dëmtime të organeve jetësore. Përplasja e motorit me shtyllën ka qenë aq e fortë sa i ka thyer brinjët. Njëra prej tyre i ka dëmtuar mushkëritë. Shkaku i vdekjes është hemorragji dhe insuficiencë respiratore, - përfundoi burri i veshur me të bardha.

"Jo, nuk është e mundur, jam metra nën ujë, mushkëritë e mia kanë oksigjen mjaftueshëm sa për të dalë në sipërfaqe".

Ndjeu një lehtësim të lehtë kur mpirja e këmbës e lëshoi. Filloi të ringjitej përsëri. I dha gjymtyrëve si i ndërkryer. Djali me lepur i thoshte vazhdimisht: "Jepi krahëve edhe pak, edhe pak...". Sa më lart ngjitej aq më tepër ndjente rrymat e ngrohta të ujit dhe valëzimet e dritës. Pak metra pa dalë në sipërfaqe, iu shfaq imazhi i dy ushtarëve dhe një poste kufitare. Mbeti si i ngrirë. I lëvizte këmbët aq sa për të mos e lënë trupin të binte poshtë... Qëndroi pezull në ujë.

- Kujdes, - i tha djali me lepur, - këta të vrasin për një javë leje.

Njëri nga ushtarët e mbante gishtin në këmbëzën e armës dhe i kishte ngulur një vështrim prej padroni latifondist, thua se ishte në arat e tij.

- Nxirrni lekët! - tha kufitari.

- Nuk kemi, nuk e sheh se jemi me rroba banjo? Jemi udhëtarë të dritës, - i ktheu djali me lepur.

U kujtua se kishte një orë elektronike nga ato me katër butona, që prindërit ia kishin dhuruar për ditëlindje.

- Orën! - i tha kufitari!

- Jepi orën budalla! - belbëzoi djali.

Kufitari i mbështeti tytën e automatikut në gjoks dhe, duke e parë vëngër, e urdhëroi:

- Orën!

E hoqi dhe ia dha pa fjalë. Posta dhe kufitari u zhdukën menjëherë pas këtij veprimi. Filloi t'i jepte krahëve me tërë fuqinë e trupit. Pak metra pa dalë në sipërfaqe iu fanit brezi kufitar dhe telat me gjemba, që valëzonin nën buzë të sipërfaqes së ujit. U dëgjuan breshëri automatike. Të shtënat e shoqëruan derisa nxori kokën mbi sipërfaqe. Ndjeu një të therur pas shpatullave. Djali me lepur i tha: "Na qëlluan...". Të dy ranë poshtë... u vorbulluan të mbështjellë nga rrymat e ftohta të ujit. U sollën pa orientim, si gur të hedhur, derisa trupat e tyre prekën fundin. Një tymnajë rëre u çua përpjetë nga përplasja dhe turbulloi ujin. Terr! ...Gjithçka u fik, thua se dikush kishte aktivizuar ata zhurmuesit që ndërprisnin sinjalin e stacioneve të huaja... Sinjali u rivendos përsëri pas pak sekondash. Turbullt arriti të shquante dy burime të bardha drite që pulsonin. "Jam në dyert e parajsës. Më në fund erdhi prehja e amshuar", mendoi. Iu dorëzua pushtetit të turbullt në pritje që gjithçka të kthjellohej, të shihte dritën e parajsës. Pikat e bardha të dritës morën trajtat e dy siluetave... filluan të shiheshin më qartë, nuk kishin flatra engjëjsh. "O Perëndi, akoma nuk kam vdekur?!", belbëzoi.

Siluetat morën formën e dy njerëzve... Dëgjoi disa të rrahura të lehta dhe tingullin e një sinjali që ndërpritej. Kur arriti të fiksonte fytyrat, pa se ishin dy mjekë. Njëri prej tyre i tha duke buzëqeshur:

- Ke dy muaj në koma. Kjo është mrekulli!

Atë çast, djali me lepur ia ktheu: "Mrekullitë ndodhin veç në tokë. Vazhdojmë të jemi nën ujë...".

KO UN

Keumgang-Gul / Guva e Diamantit

Çfarë lehtësimi
që s'jeton dot gjithkund përnjëherë.
Sot, këtu në Guvën e Diamantit,
nuk ka më arsye të jetosh.
Të rrish një ditë a dy:
kjo botë
dhe ajo Tjetra janë shkretuar nga shpërfillja.

Fryn era.
Si perlë lind funddetit të thellë n'agoni,
prej mishit të stridhes brenda territ më të errët,
këtu era fryn nga thellësitë.

Dua të udhëtoj larg e më pas të kthehem.
Era fryn si të isha tetëdhjetë e pesë vjeç
a ndoshta tetëdhjetë e shtatë.

Vesh

Dikush po vjen
prej botës tjetër.

Fërshëllimë e shiut të natës.

Dikush tani po shkon atje.
E sigurt që të dy do të takohen.

***

Sytë e asaj gruaje,
që për gjysmë dite shiu-lulesh,
eci mes petalesh pikërruese,
petale që mbulojnë truallin.
Sytë e saj gruaje shtatzënë.

Diku tek tre vjet më vonë,

sytë e asaj foshnjeje të sapolindur,
sy që nuk e dinë
se dallëndyshja është dallëndyshe.

Sytë e një rioshi që shndrinë natën
para se drita të shkimej,
sytë e një revolucioni
të dënuar me dështim.

Sytë e një plaku,
që shohin pas shtëpinë e vet
një herë të mbrame
rrugës për në spital
a në shtëpinë e pleqve,
shtëpinë që e braktisi dikur
dhe ku s'mund të kthehej më
në brigjet e lumit 'Cheongcheon' në Korenë e Veriut,
sytë e atij plaku, që burimi i lotëve i shteri.

Të gjithë ne kemi jetuar
bashkë me ata sy,
jetuam e pastaj ikëm.

✳✳✳

Meqë s'do mund të qaj pas vdekjes,
qaj në të gjallë.

Qaj në net dritëhëne.

Një natë dritëhëne
është bash kalaja e lotëve,
një protestë lotësh deri në agim.
Qaj gjer
në gjelin e parë, gjer kur dëgjohet gjeli i dytë.

Qaj me ngazëllimin tërë drojë
që ndjej kur qaj pas një kohe të gjatë.
Qaj
gjer sa të ketë revolucion në të ardhmen e largët.

Rrëfime

Ka rrëfime.
Ka njerëz që tregojnë rrëfime
dhe njerëz që i mbajnë vesh.

Dhoma është përplot
me frymën e rrëfimeve.
Kaq mjafton.
Tetë muaj dimër në minus 40.
Një foshnje e zvjerdhur ngrirë për vdekje;
zija nuk zgjati shumë.

Së shpejti ka rrëfime.
Mes lutjesh e më shumë lutjesh,
mes një vakti e një tjetri,
ka rrëfime.
Kjo lloj gjendjeje është gjendje e përsosur.

Dikush bëri një pyetje

Një i huaj nga veriu bëri një pyetje.
Një i huaj nga jugu bëri një pyetje.

A je bërë
ndonjëherë erë?
Ndërsa të jesh erë,
a je bërë det i hapur ndonjëherë,
i trazuar me damarë që buçasin,
duke ngarendur sikur të ndjekin, sikur të ndjekësh,
suvalë të pamëshira,
vela të bardha krejt të ndera?

Ndërsa të jesh erë, a ke
ndjekur ndonjëherë, i pashpërblyer,
shtegun e rreptë të patave,
flatrat e tyre të lodhura e thatanike
pas udhëtimesh të gjata në qiellin e natës?

Edhe më lart akoma,
rreth 13.000 metra,
a je bërë ndonjëherë shteg,
i pashpërblyer,
për shtërgjet himalajase,
që barten pas gjurmës së avionit,
me flatrat hapur plotësisht,
mbi akullnajën-qiell të Himalajës?

A je bërë
ndonjëherë erë?
Ndërsa të jesh erë,
ndërsa të jesh kundër-erë,
a e ke përkëdhelur ndonjëherë në perëndim
brengën më të bukur
të filizave t'orizit,
që hedhin rrënjë të njoma

pesë a gjashtë ditë pasi mbillen,
e për herë të parë përkunden në erë
në ndofarë orizoreje fshati në Azinë Lindore?

A ke mbajtur
ndonjëherë
balonë që një 14-vjeçar ngriti dimrin e shkuar,
nga një kodrinë mbi një fushë elbi,
lart,
lart,
lart,
gjer në ëndrrat e tij, gjer të bëhet e padukshme
edhe në ëndrrat e tij?

Oh, zbritja!

Sonte, dua të jem fshehtas erë.
Dua të jem e mbramja frymë e brishtë e një shkulmi ere,
që bën fole në shtëpinë e dikujt,
në një fshat kërrusur para hënës,
qetësisht, qetësisht,
si një mysafir ndajnat'herë, a si dikush tjetër.

Vajtim

Tani lumi
do të hyjë në librat e mi e do të rrjedhë i vetëm.
Një ditë
askush nuk do t'i lexojë më librat e mi.

Tani lumi
do të hyjë në kujtesën tënde të rrjedhë qetësisht.
Aty
dalëngadalë do të venitet.

Tani lumi gjarpërues

26

do ndërkallet në foton e dikujt,
në diç të tillë si rrip i zbërthyer.

Një ditë,
një ditë,
askush s'do ta dijë në është lumë a çfarë.

Do të doja më mirë
të kthehesha në vendin tim,
gjithëqysh i prapambetur e i pazhvilluar.

Tani lumi do të rrjedhë krejt i rraskapitur gjer në mbrëmje,
gjer sonte.

Nesër
do shndërrohet në diç tjetër.
Sa pa kuptim! Nuk do të më njohë kurrë kush jam.

Era

Kurrë mos i lyp erës mëshirë.
Zambakë të gjatë të egër dhe
zambakë të bardhë kaq erëmirë dhe
zambakë njëditorë dhe
se si, pasi të të jenë thyer gjithë kërcejtë,
do të dalin gonxhe të reja. Nuk është shumë vonë.

Pijanec

S'kam qenë kurrë një qenie individuale.
Gjashtëdhjetë triliardë qeliza!
Jam një kolektivitet i gjallë.
Bëj zigzagë duke ecur,
gjashtëdhjetë triliardë qeliza, të gjitha të dehura.

Shtegu i borës

Tash ia kam ngjitë vështrimin
shtegut të borës, që mbulon gjithë sa ka kaluar.
Pasi u enda vërdallë gjithë dimrit,
ia ngjit vështrimin këtij territori të huaj.
Kjo skenë dëbore
më bie në zemër krejt për herë të parë.
Bota është në zgrip të përsiatjes,
një botë mbuluar me paqe të harlisur, sa
asnjë vend ku kam udhëtuar s'e ka parë kurrë.
Ua kam ngjitë vështrimin lëvizjeve të padukshme të gjithë
gjërave.
Ç'është qielli prej nga bie bora?
Ndërsa dëgjoj më afër, përmes borës që bie,
arrij të mbaj vesh rrëfimin e tokës madhështore.
Mundem të dëgjoj për herë të parë.
Zemra ime është shtegu me borë jashtë,
dhe me terr përbrenda.
Pasi u enda mes kësaj bote dimri,
erdha tash t'i bëj sogjë qetisë së madhe
dhe, përballë pirgut me dëborë,
zemra ime është terrinë.

Të pyesësh për rrugën

Ju budallenj që pyesni çfarë është zoti,
duhet të pyesni më mirë jeta se çfarë është.
Gjeni një port ku lulojnë pemët e limonit.
Pyesni për vendet ku pihet në port.
Pyesni për pijetarët.
Pyesni për pemët e limonit.
Pyesni e pyesni sa të mos ketë më ç'të pyesësh.

Përktheu nga anglishtja Elvana Zaimi

THANAS MEDI

Shkruaj për të lënë gjurmën e ekzistencës sime

Intervistoi Arbër Ahmetaj

Intervistuesi: *"Revista Letrare" ka ndarë me lexuesit entuziazmin e saj mbi cilësinë e romaneve tuaja. Kemi botuar shënime kritike, tregime e fragmente romanesh. Sot kemi ardhur të bisedojmë me autorin, me ju, Thanas Medi. A mund të na flisni fillimisht për lidhjen tuaj me shkrimin: si shkruani, kur punoni, si ngjizen veprat tuaja?*

Thanas Medi: E quaj veten të privilegjuar dhe i jam përherë mirënjohës Revistës Letrare, se më kushtoi vëmendje që në numrat e parë të saj. Për më tepër se hyri në botën a tregun e librit shqip me dëshirën e lavdërueshme të evidentimit e publikimit të vlerave të vërteta letrare. Orientimi juaj për nga letërsia cilësore më gëzoi jo pak, pasi ekziston një katrahurë e tillë në letrat shqiptare, me vetëm shkrimtarë "të shquar", sa i shteron lexuesit dëshira për lexim. E veçanta e revistës suaj është se bëni shumë për një shkrimtar, duke mos u mjaftuar vetëm me një evidentim, por duke synuar dhënien e një informacioni sa më të gjerë për veprën e tij. Apo për vetë atë, si me këtë intervistë a bisedë...

Dua të besoj se shkrimi lind me njeriun, pavarësisht se kur ky do ulet në tavolinë për të hedhur një libër në letër. E shoqëron që në fëmijërinë e hershme, si një mundësi e së ardhmes, e cila, sa më shumë të ngjizet, aq dhe më shumë nuk mund të bëjë pa të. Ndikon që të jetë i ndryshëm nga të tjerët, akoma dhe kur është një copë fëmijë, të cilit i bëjnë shumë përshtypje rrëfimet e të mëdhenjve, i pëlqen të rrijë sa më gjatë me ta. Të regjistrojë pa kuptuar ngjarje e histori të larmishme, bashkë me mënyrën e interpretimit të tyre.

Pa ditur se po "hedh themelet" e librave të ardhshëm. I parë kështu, mund të themi se shkrimi është më së shumti gjurma e asaj që ke jetuar në jetë. Dhe po të më pyesnit "Përse shkruan?", gjë që ndodh rëndom me shkrimtarët, këtë do rreshtoja në krye fare: "Shkruaj për të lënë gjurmën e ekzistencës sime". Sidoqoftë, me këtë gjurmë u mora seriozisht disi vonë. Dhe në rrethana të vështira, duke qenë emigrant në Greqi. Kur me botime të pakta në poezi e prozë, dhe këto të viteve më parë, vendosa të shkruaj vetëm romane. Si duke dashur të fitoj kohën e humbur, të shpreh gjithë ato që më gumëzhinin përbrenda dhe, tek e fundit, të matja forcat me baterinë e rëndë të letërsisë. Fillimi ishte krejtësisht i çrregullt, duke shkruar kur dhe ku të mundja, para apo pas orëve të lodhshme të punës fizike, derisa arrita të kem një status normal shkrimtari, që e vazhdoj prej disa vitesh.

Si shkruaj? Fle herët dhe çohem herët; paradita është përgjithësisht letërsi. Nata është për gjumë dhe lënien e trurit të zgjidh ç'nuk mundi të zgjidhte ditën. Shkrimin e një dite e lë si të pambaruar, pezull, që ta "gjej" në mëngjes gati-gati të mbaruar. Romani, sidomos, kërkon një disiplinë e angazhim të përditshëm, orë të tëra mbi letrën e bardhë, për të përfituar sikur edhe gjysmë flete letërsi të mirë. Gjithë kjo punë i ngjan asaj të kërkuesve të floririt, që e qëmtojnë atë nëpër llum e baltë. Kur nuk shkruaj një ditë, nuk ndjehem mirë, sikur diçka më mungon. Librat që do shkruajmë, ne i kemi brenda vetes, edhe pse nuk jemi fort të ndriçuar për këtë. Ata ngjizen në heshtje, ditë për ditë, orë për orë, mjafton që diçka, sa një farë gruri, të kesh "mbjellë" në ndërgjegjen tënde krijuese. Për më qartë, kur shkruaj një roman, mendoj për tjetrin, të radhës, i kam hapur një dosje modeste këtij, që, kur t'i vijë ora e hedhjes në letër, mos të gjendem në boshllëk.

Intervistuesi: *Në shënimin tuaj për lexuesit (Misteri i shkrimit), thoni se tash, pas katër romanesh, keni filluar të bëheni shkrimtar. A mund të zgjeroheni edhe pak më tepër mbi këtë ndjesi, mbi vazhdimësinë e saj? Pasi duket se është një proces që s'dihet se kur nis te një autor e aq më pak i parashikueshëm është fundi i tij, nëse ka një të tillë. Si lindi* *brenda jush dëshira për të shkruar?*

Thanas Medi: Duke shkruar romanin e pestë, që të vijmë te ndjesia në fjalë, vura re një "plus" dhe një "minus". Plusi është se po perfeksionohesha si shkrimtar, po bëhesha më teknicien, situata të vështira i zgjidhja më lehtë, shkurtoja më pak, (të shkurtosh do të thotë të krijosh, kam lexuar diku) e të tjera nga këto. Kurse minusi është se ndjehesha më i ftohtë ndaj tekstit. Sikur më mungonte emocioni i dikurshëm, nuk e kisha ose vinte e cunguar ajo ngrohtësi, ai besim i palëkundur në vetvete se stekën do ta ngrija akoma më lart, që më shoqëronin përgjatë shkrimit të katër romaneve të parë. Shkrimi, besoj, është një shkrirje a ngjizje e shpirtit me trurin, duke ruajtur raportin përkatës për çdo libër të ri. Pa e tepruar me njërën apo me tjetrën. Se ndodh të shkruash më tepër me tru, (zakonisht kur s'je më fillestar), duke rrezikuar të përsëritësh veten, të jesh i thatë, artificial; dhe më shumë me shpirt, duke përfunduar në cektësirë e melodramë. Me një fjalë, procesi i të bërit shkrimtar nuk ka fund, je ti pastaj ai që di ose jo të lëvizësh të gjitha fijet e thurjes së një vepre letrare. Mundesh ose jo të mbash gjallë si flakëzën e shpirtit, si prushin e mendimit. Gjithmonë për të dhënë më të mirën e mundshme.   Dëshira për të shkruar flinte brenda meje dhe u zgjua si një përbetim i papritur për të "pushtuar botën". Në sajë dhe të një rastësie të kohës së gjimnazit... Po bënim Balzakun në orën e letërsisë, mësuesi na fliste për një shënim në tavolinën e tij të punës, referuar Napoleonit: "Atë që ai s'e bëri me shpatë, unë do ta bëj me penë!", dmth do pushtonte botën, dhe kaq mjaftoi për të ndodhur shkëndijimi. Si në një vazhdimësi gare të pashpallur e të paditur nga askush, me përjashtimin tim, thashë dhe unë: do bëhem si Balzaku. Menjëherë pas këtij çasti iu përvesha shkrimit. Me një zell që s'kish të bënte aq me gjeniun francez sesa me dëshirën time për t'u shprehur. Për të treguar se dhe unë dija të shkruaja, se isha dikush...

Intervistuesi: Personalisht kam dëgjuar për vllehët në moshën 21-vjeçare. Që është një popull në prag të rrëzimit e kam mësuar nga romanet tuaja. Si është e mundur që gjëra kaq të rënda ndodhin në fshehtësi? A mundet letërsia të shpëtojë një popull?

Thanas Medi: Diktaturat komuniste e kanë në themelin e ekzistencës së tyre të vepruarit në fshehtësi. Në kushtet e mungesës së lirisë së vërtetë, të frikës, survejimit, kërbaçit që të priste po ta hapje gojën më tepër nga ç'duhej, mbrojtjes së një fasade të lumturisë mbarë popullore, ne gjëmat e tmerrshme të diktaturës i mësuam vetëm pas rënies së saj. Edhe nëse diçka dinim për vrasje, burgosje e internime, krimi na servirej si diçka që e kishim bërë ne të gjithë e për të mirën e të gjithëve. Që është dhe një mënyrë e fshehtë veprimi, dinakëri diktatorësh për t'ia zgjatur jetën sa më shumë regjimit. Një krim më vete është dhe vrasja apo shuarja e një populli, duke injoruar ekzistencën e tij. Duke rrafshuar identitete etnish të pambrojtura, në emër të internacionalizmit proletar. Duke nëpërkëmbur gjuhën, doket, zakonet, traditat, këngët, që janë vetë shpirti i tij. Një populli, po i vrave shpirtin, ke vrarë vetë atë. Kështu ka ndodhur dhe me vllehët, që janë prej shekujsh banorë të trojeve shqiptare. Asimilimi i etnive që "prishin punë" në diktaturë, nuk ndodh në mënyrë të natyrshme, ndodh me diktat nga lart. Dhe ky jo i shpallur me ligj kushtetues, por ashtu, në të fshehtë. Vllehëve, si pakica më e madhe në numër dhe me një histori të lashtë bashkëjetese me shqiptarët, (aq sa dhe sot u thërrasin me emrin e vjetër "arbëresh"), me mjaft personalitete të tyre që ia kushtuan jetën shqiptarizmës, u është rezervuar nga "pushteti popullor" një persekutim kolektiv. Një vdekje e butë, e ngadaltë, duke e "mbytur me dashuri" këtë popullatë dhe jo duke e respektuar për atë që qe. Duke mos i njohur të drejtën e mësimit të gjuhës së nënës në shkollë, duke bërë t'i shuhej gradualisht ajo ngjyresë e veçantë etno-kulturore, shprehur aq qartë në zakone, tradita e folklor. Për më qartë, në festivalet kombëtare folklorike, që bëheshin njëherë në katër vjet në Gjirokastër, kurrë nuk u ngjit në skenë ndonjë grup i pakicës vllahe. E shumta që mund të bëhej ishte njëfarë përfaqësimi vetëm brenda kufijve

33

të fshatit. Pasi diku lart, në qeveri, projektohej gjithçka me fshehtësi e imtësi. Me qëllimin e lënies në errësirë, zhdukjes pa zhurmë të kësaj popullate. Letërsia ndoshta nuk mundet të shpëtojë një popull, por me siguri që mund ta zgjojë nga gjumi atë. Dhe zgjimi është fillesa e shpëtimit.

Intervistuesi: A jeni joshur ndonjëherë të përktheni në shqip diçka nga gjuhët që dini? Ndërkohë, dy veprat tuaja janë përkthyer e botuar në rumanisht. Çfarë do të thotë kjo për ju dhe si ka qenë bashkëpunimi me përkthyesen?

Thanas Medi: Nuk kam provuar të përkthej, por di mirë ç'është të jesh përkthyes. Dhe këtë e mësova më në detaje përgjatë bashkëpunimit me përkthyesen time në rumanisht, Oana Glasu. Përkthyesi mund ta dëmtojë një vepër ose ta nderojë atë. Oana hyn tek ata që të nderojnë. Nderimi s'është gjë tjetër veçse një përkthim i përsosur, sjellja e origjinalit në gjuhën tjetër pa lënë pas dore asnjë tregues apo element të tij. Është të arrijë që lexuesi të ndjejë se po lexon një autor të letërsisë së vendit e gjuhës së vet dhe jo një të huaj. E kjo kërkon mund, përkushtim e patjetër talent. Ky i fundit është pigmenti që i jep dorë një përkthyesi të jetë dhe krijues. Të përkthesh s'do të thotë të kthesh në mënyrë mekanike një fjalë nga një gjuhë në tjetrën, do të thotë të vështrosh përtej fjalës. Të njohësh larmishmërinë e ngjyrat e shumta të saj, ngarkesën emocionale që mbart, pasi vetëm atëherë mund të bësh përzgjedhjen më të mirë. Oana Glasu jo vetëm që i di mirë të gjitha këto, por, si rrallë ndodh, ushqen dhe një dashuri të pashoqe për gjuhën shqipe, për Shqipërinë, për çdo gjë shqiptar. Është edhe kjo dashuri, mes të tjerash, që bën të realizojë më të mirën e mundshme. Ashtu siç është dhe bashkëpunimi me autorin, një domosdoshmëri tjetër që përkthimi të jetë në lartësinë e duhur. Mund të them se bashkëpunimi im me Oanën ka qenë e vazhdon të jetë tepër i ngushtë. Pasi gjithmonë mund të ketë diçka të mjegullt përkthyesi dhe autori është ai që mund ta ndriçojë më mirë se kushdo tjetër.

Jo vetëm në rumanisht, por edhe në greqisht. Pritet së

shpejti dhe dalja në italisht, anglisht e frëngjisht. Botimi në gjuhë të huaj, si për çdo shkrimtar, është për mua jo vetëm një gëzim i veçantë, por dhe përballje me kulturën tjetër. Me lexuesin e një vendi tjetër. Është dhe një kut matës për atë që je në të vërtetë, se sa vlen ajo që shkruan; je vetëm për fshatin, vendin tënd, njerëzit me të cilët ndan një histori e një gjuhë apo për një publik më të gjerë.

Intervistuesi: Çfarë mendoni se e ka penguar letërsinë tonë, të një vendi të vogël, të interesohet për një temë kaq të madhe, siç është fati i një popullsie ndryshe, brenda atdheut?

Thanas Medi: E ka penguar mospasja e informacionit, njohjes, por mbi të gjitha mungesa e lirisë. E lirisë së vërtetë, jo asaj të cunguar, diktuar nga lart. Liria për letërsinë është frymëmarrje, veç për metodën e ngurtë të socrealizmit kjo duhet të rrjedhë vetëm në një hulli të caktuar. Ndaj dhe tema e një popullsie ndryshe, vështruar jo në sipërfaqe, në mënyrë folklorike, thjesht sa për t'i thurur lavde pushtetit, por në thellësi, në dramën dhe tragjedinë ekzistenciale të saj, ishte e ndaluar. Vllehët ishin një popull i ndaluar, ndaj dhe letërsia, si bashkëpunëtore e pushtetit, do t'i rrinte larg atij. Jo më kot, "Fjala e fundit e Sokrat Bubës" doli në dritë në kohë tjetër, atë të demokracisë. Sepse, veç të tjerash, ishte dhe një "fjalë" për ca gjëra që ishin mbajtur fshehur deri më atëherë. Ndriçohej një etni e mbajtur në errësirë, lënë në lëngatën e vdekjes së sigurt.

Intervistuesi: Le të kthehemi dhe njëherë te puna juaj si prozator. Dy nga katër romanet tuaj kanë arritur te një numër i madh lexuesish, brenda e jashtë gjuhës sonë. Çfarë ka ndikuar: subjekti, botuesi, çmimet, mediat sociale apo ndonjë rastësi fatlume?

Thanas Medi: Në krye do rreshtoja atë që ju e vutë në fund: "rastësinë fatlume". Duke qenë një autor i panjohur në vendin tim dhe për më tepër në mërgim, rastësia e parë fatlume do qe Çmimi i Madh Kombëtar për Letërsinë, dhënë nga Ministria e Kulturës për "..Sokrat Bubën", si romani më i mirë për vitin 2013. Çmimi u dha më 2014-n, një vit pas botimit, siç është rregulli, por njerëzit tani morën vesh se ishte në qarkullim edhe një libër i tillë. Shqiptarët, gazetat, televizionet tani u kujtuan se paska dhe vllehë në gjirin e tyre. Dhe vetë këtyre, atëherë sikur u ra ndërmend se me të vërtetë ekzistonin... Titujt e gazetave shkruanin: "Çmimin e mori libri i vllehëve", ndoshta se për këta e kishin njëfarë njohjeje, kurse autorin nuk e dinin nga binte. Dua të them se kështu dola dhe unë deri diku në dritë.

Kurse rastësi të dytë, po kaq fatlume, tani jashtë Shqipërisë, do quaj njohjen dhe bashkëpunimin me Oana Glasun. Atyre që thashë pak më parë për Oanën, do t'u shtoja se ajo është më shumë se përkthyese. Pasi nuk mjaftohet vetëm me sjelljen në gjuhën e saj të librit, por përpiqet që ai të lexohet, të njihet. Duke e publikuar nëpër revista të ndryshme letrare, gazeta, tërhequr vëmendjen e kritikës së specializuar. Nga ana tjetër, rastësitë, sado "të rëna" nga qielli të jenë, janë gjithmonë pak, nëse ti je pak si autor. Në këtë rast, as rastësia s'të ndihmon dot, as çmimet, botuesi, subjekti apo mediat sociale që, padyshim, kanë rolin e tyre për njohjen e një shkrimtari.

Intervistuesi: Duke lexuar romanet tuaja, kam gjetur njëfarë shërimi për ankthet e mia personale, për pyetjet e thella që më gërryenin. Çfarë mendoni për leximin, për lexuesit, a shkruani për t'ju pëlqyer atyre? Çfarë lexoni ju vetë? Cilët janë pesë librat që do t'jua këshillonit të gjithëve?

Thanas Medi: Shkrimin e një romani nuk e lidh aspak me lexuesin, nëse do t'i pëlqej apo jo atij, por ky mbërrin, ngjall interesin e lexuesit nëse e meriton këtë. Me pak fjalë, unë shkruaj për atë që njoh, atë që e kam jetuar, provuar në lëkurë, dhe këtu gjejnë diçka nga vetja edhe ata që më lexojnë. Në këtë kuptim mund të thuhet: "Shkruaj që t'ju pëlqej lexuesve". Leximi ndoshta nuk ta transformon rrënjësisht jetën, por me siguri se ta ndryshon e zbukuron atë. Të bën më njeri, më të pasur si botë, të lartëson shpirtërisht. Dikur kam lexuar ç'të më binte në dorë, kur i ngjaja një depozite që vetëm rrufiste libra, kurse tani, meqë dhe koha është e kufizuar e i kushtohet shkrimit më tepër, zgjedh e përzgjedh.

Me synimin e letërsisë më të mirë. Nuk i lë nobelistët, por dhe shumë nga këta më kanë zhgënjyer. Ashtu siç më kanë mrekulluar të tjerë, pa asnjë lidhje me Nobelin. Pesë libra që do veçoja janë pak, në gjithë atë mori titujsh që më shfaqen para tani, ndaj nuk po përmend asnjë...

Intervistuesi: Përvojat e leximit krahasohen nganjëherë me aktet erotike, që tek autorët e lashtë flitet për penetrim të tekstit. Duke lexuar romanet tuaja, ndjehesh si brenda një teatri vokal. Nga kjo polifoni kulmon zëri i Markelës, një arie e dhimbshme lirike, e një bukurie të rrallë. Çfarë është për ju ky personazh?

Thanas Medi: Teksti, më shumë se një pasqyrë e ftohtë ngjarjesh të caktuara, është produkt idesh e ndjesish. Është një kurth i thurur me fije shpirti, në të cilin bie brenda njëlloj si autori, si lexuesi. Shkrimtari e jeton atë që rrëfen, nuk e tregon. Nëse është ai i ftohtë ndaj tekstit, kështu mbeten dhe ata që e ndjekin. Fletët mund të mbushen me rreshta, por është ndjenja ajo që mbështjell çdo fjalë, duke bërë të ngjisësh ose jo te lexuesi. Ndërkaq, çdo libër përkon me një kohë të caktuar dhe "kurthi" që përmendëm do mëshirojë më thelbësoren e saj. Që të flasim më konkretisht, "Valsi i një dasme fantazmë", (Onufri, 2019), apo "Markela" në rumanisht, është libri i shëmtisë, që shitet për bukuri. Dhe i bukurisë, që lëngon nën thundrën e diktaturës. I shpirtit të lidhur me zinxhir ideologjikë dhe fateve njerëzorë të nëpërkëmbur. Vetë Markela, edhe si personazhi kryesor i romanit, është shembulli më i dhimbshëm i një kohe absurde. Është fatkeqësia e një brezi të tërë, e ndaluara, e keqja, e mallkuara. Është, gjithashtu, dashuria që nuk munda ta jetoj...

Intervistuesi: Vendlindja juaj, Dhoksati, studimet, mësimdhënia, emigrimi.. A mund t'ju flisni pak më gjerë lexuesve tanë për rolin që kanë luajtur këto faza në jetën tuaj si krijues?

Thanas Medi: Ndonëse nuk kam lindur në Dhoksat, atë mbaj për vendlindjen time. Duhet të kem qenë dhjetënjëmbëdhjetë vjeç kur familja ime u ngul këtu. Vërtet që vija nga fshati në fshat, por Dhoksati e tejkalonte shumë bojën e tij. Pa qenë qytet, ushqente ëndrrën e të qenit i tillë. Gjirokastra, fare përballë, nuk kish ndonjë dallim kushedi se çfarë me atë. Ishte bekim të jetoje në Dhoksat...! Dhe ky bekim do qe edhe për mua, si një nga banorët më të rinj të tij. Ai është mu në zemër të Lunxhërisë, është ndërtuar me një projekt të caktuar, sjellë nga Stambolli. Ka shtëpi guri të lëmuar, dy-trekatëshe, me porta të rënda e hije aristokratike avllish, me pezule anash, për të ndenjur e pirë kafe pasditeve. Rrugët me kalldrëm, që ndrisnin nga pastërtia, aq sa kalimtarët e huaj hiqnin këpucët për të mos i bërë pis... Jo më kot e quanin dhe "Parisi i vogël". Këto e të tjera e kanë shënuar fort fëmijërinë time, shenja që më pas do bëheshin letërsi. Këtu zuri rrënjë dhe miqësia ime me librin, filloi të mugullojë shkrimi në stadin embrional të tij. Shoqëruar me stimulin e dalë si nga lartësia ku e mbante veten Dhoksati: të synoja shumë në jetë e ta tejkaloja veten. Këtu mbarova tetëvjeçaren, të mesmen në Gjirokastër, gjimnazi i njohur "Asim Zeneli", dhe studimet filologjike në Universitetin e Tiranës. Arsimtar për disa vite dhe më pas emigrimi. Të gjitha fazat e jetës janë njëkohësisht dhe mushti i krijimtarisë sime, duke e quajtur emigrimin "aksident", pasi u ndalova në momentin kur doja shumë të shkruaja. Kur e kisha gati të pamundur të merresha me letërsi.

Intervistuesi: Romanet shqiptare botohen herë pas here edhe në gjuhë të mëdha. Gjithsesi, në përgjithësi, nuk arrijnë të bëjnë shenjë. Ndonjë artikull dashamirës, shpërndarje e botues të panjohur... Personalisht mendoj se letërsia e sotme shqipe meriton më shumë se kaq. Pse ndodh kjo? Ku është problemi sipas jush?

Thanas Medi: Një nga problemet kryesore besoj se është niveli i letërsisë së sotme shqipe, në kuptimin se ajo vërtet mund të jetë e mirë për lexuesin shqiptar, por nuk është e tillë për lexuesin e huaj. Ndoshta i mungon tharmi që e bën një letërsi universale. Pa harruar dhe faktorë të tjerë, që ndikojnë negativisht, siç është të qenit letërsi e një vendi të vogël, një populli numerikisht të vogël, që bën të ngelet në periferi të vëmendjes së të tjerëve, më të mëdhenjve. Vështirë se ndodh në letërsi që "I vogli të mundë viganin". Është pastaj dhe përkthimi, niveli i tij. Shkrimtarët s'duhet të harrojnë se dikush mund t'ua shkatërrojë librin, që mund ta kenë vërtet të mirë. Luan këtu rol të madh edhe botuesi i huaj, pasi, siç ndodh zakonisht, ky mjaftohet vetëm me shtypjen e librit dhe vendosjen e tij në ndonjë raft librarie. Nuk lëviz që t'ia ofrojë lexuesit, të tërheqë vëmendjen e kritikës. Do shtoja në këtë aspekt dhe opinionin e keq krijuar e rrënjosur për shqiptarët. Nuk di si është ky në vendet e tjera, ku kanë emigruar dekadat e fundit shqiptarët, por e di për Greqinë ku jetoj prej njëzet e pesë vjetësh. Mund të them se as fama "Kadare" nuk arrin ta rikuperojë sadopak atë. Shkrimi për grekët është një zeje e lartë, është aristokraci dhe me të nuk mund të merret kushdo. Për më tepër shqiptarët, që ata i quajnë të zotë vetëm për të pastruar shtëpitë e tyre, gërmuar arat e tyre a ngritur ndonjë kovë me llaç... Dhe e keqja më e madhe nuk është se ky opinion gjallon në shtresat e ulëta të shoqërisë greke, është se ka zënë vend te pjesa më e shkolluar e saj; te njerëzit e librit, botuesit, lexuesit. Nuk e teproj po të them se ky shtrembëron buzët sapo ndesh emrin e ndonjë autori shqiptar mbi kapak... Sidoqoftë, raste që e lënë një shenjë mund të ketë tani, brenda e përtej Greqisë, por nuk duhet mjaftuar me një libër të vetëm. Shenja, sado e cekët, duhet të thellohet me libra të tjerë, të ketë vazhdimësi, ndryshe shumë shpejt kalon në harresë.

Intervistuesi: Nëse do t'ia lejonit vetes, çfarë këshille do t'u jepnit shkrimtarëve të rinj?

Thanas Medi: Të jenë vetvetja, të zbulojnë nëse kanë talent dhe të punojnë shumë për ta afirmuar atë. Puna e nderon talentin, por ky, aq sa është i domosdoshëm, aq dhe të braktis shpejt nëse e lë pas dore.

Intervistuesi: Kemi mësuar se po përfundoni një roman të ri. Dëshironi të ndani diçka në lidhje me të për lexuesit tanë? Çfarë presim të vijë?

Thanas Medi: Jam i mendimit se, nëse nuk ke diçka të re të thuash, të veçantë, është më mirë të heshtësh. Të mos botosh. Derisa të mbërrijë ai çast, kur diçka ndryshe po zë rrënjë e ftillohet brenda teje. Romani i ri besoj se e pati kohën e mjaftueshme (2-3 vjet), duke parashikuar të botohet vitin e ardhshëm, për të thënë dhe ai fjalën e tij. Kjo, për përplasje botësh deri dje të kundërta ideologjikisht, tallazitje njerëzish, ikur nga një vend me komunizmin e rrëzuar për të mbijetuar në kapitalizmin ku ka "shumë bukë dhe pak zemër", siç thotë një nga personazhet... ku të gjithë duan pak dashuri...

Intervistuesi: Dhe në fund, jam kurioz për jetën tuaj private. Kush është Tanas Medi jashtë shkrimit? Si është një ditë e zakonshme për ju? Çfarë ju josh të dilni jashtë rutinës?

Thanas Medi: Jam një njeri i zakonshëm, me shqetësimet, preokupimet dhe detyrimet e mia. E përditshmja, e okupuar përgjithësisht nga letërsia, por dhe lexime apo kafe me miqtë në kohë të lirë. Duke qenë i rritur në fshat e tani i ngujuar në betonin e Athinës, ajo që më josh më tepër është shëtitja në natyrë. Për fat, jo larg shtëpisë, gjenden ca kodrina të pyllëzuara keq, veç të mjaftueshme për ta jetuar atë që u mungon aq shumë qyteteve të mëdha...

Intervistuesi: Faleminderit për këtë bisedë të bukur!

Thanas Medi: Faleminderit dhe mirënjohje për ju!

ALBAN TUFA

Ç'të bëjmë me ikjen kur na vjen?

(ose disa poezi në kundërkohë)

Pasi vdiqa

Meqë vdiqa,
thashë me vete që duhet të bëj tash diçka për veten,
ta shijoj edhe pak,
domethënë të rri edhe do ditë këtej.
Meqë e mora këtë vendim,
thashë të mbaj vesh.
Kur u njoftuan për vdekjen time,
njerëzit u habitën.
Askush nuk kishte pritur të vdisja sot;
të gjithë mendonin se duhej të ikja më vonë.
Disa thanë që mund të vdisja nesër së paku.
Por, dreq,
prisha një intervistë pune,
një udhëtim në male,
një ditë plazhi nën diell,
po ashtu prisha një ditë pune në kantier,
një dyqan duhej mbyllur atë ditë.
Disa duhej të udhëtonin nga larg me avion,
të tjerë me makinë,
një pjesë e mirë në këmbë.
Po ashtu prisha takimin e parë të një çifti,
ata u ndanë ende pa u bashkuar.
Dikujt i prisha gjumin e mëngjesit.
Dikujt i prisha buzëqeshjen,
ndërsa dikujt tjetër ia ktheva buzëqeshjen.
Të gjitha dëme të parikuperueshme.

Pastaj çfarë nuk thanë:
Qe i mirë, i shkreti,
qe i zgjuar, i shkreti,
qe i urtë, i shkreti
dhe plot fjali të mbyllura me "i shkreti".
E çoi jetën mbi libra - tha dikush.
Budalla - shtoi një tjetër.
Mendonte të ndryshonte botën - thanë të tjerë.
Don Kishot - shtuan ca.
Shkruante poezi - nëpërdhëmbi dikush.
Dëme të parikuperueshme - tha i vetmi që e dëgjoi.
Këtë të fundit e dëgjova vetëm unë.
Rashë dakord me të,
por nuk bëra asgjë,
veç një përpjekjeje për të lëvizur sadopak kokën.
Vdekja të bën të biesh dakord.

Gusht 2022

Te ky vend

Nuk ke ndonjë dashuri të furishme për këtë vend,
aq sa është të vjen e përhershme,
njësoj, njëtrajtshëm, curril,
si një krua që ka njëfarë uji,
duke ta bërë me dije që mund të sosë,
por edhe me kaq kryen punë.
Vazhdon e rrjedh dashuria për këtë vend,
me arsyen fillikate:
është i vetmi vend që të përket.

Tej nëpër botë,
ngarend me të katra për të kapur jetën,
me ritmin që ndalesa nuk ka,
e aq më pak kujtime,
sa më larg e sa më gjatë gjërat vetëm shprishen.

Kështu kthehesh te ky vend
për të restauruar kujtimet.
Veten e sheh të vogël në oborr,
tek ecën nëpër rrugica
dhe nuk e di kush je,
vështruesi apo i vështruari,
kujtimi apo kujtuesi.
Nuk ka mbetur asgjë prej teje në ty
dhe kupton që duhesh restauruar me themel,
gjithmonë nëse ka ende themele.
Tash nuk e di a e bëjnë njerëzit vendin,
apo vendi njerëzit?
Kujtimet njeriun, apo njeriu kujtimet?
Prindërit të shohin
dhe as ata s'e dinë ç'ka mbetur më prej teje
e ç'ka mbetur më prej tyre.
Marrëdhënia me ta restaurohet me një vështrim,
maksimumi me një përqafim.

Por, si t'ia bësh me veten,
kur nuk e di çfarë ishe,
kur nuk e di çfarë je,
dhe më e keqja
kur nuk e di as se çfarë dëshiron të jesh.

Peshkopi, 2022

Ç' të bëjmë me ikjen kur na vjen?

(Një poezi në kundërkohë)

Tash vjen ikja
ose më saktë koha për të ikur,
jo andej nga erdhe,
andej nga s'ke shkelur kurrë.
Derisa të shpikësh një kundërkohë,

duhet ta kesh ndalur kohën.
Sa të gjesh një vend për të bujtur,
duhet të lëvizësh,
se po të rrish,
mund të humbasësh dhe ato që ke,
jo më të gjesh diç që duhet.

Ja, vjen çasti për të ikur,
dhe kur të ketë ikur ky çast,
të kesh ikur duhet bashkë me të.
Duhet të kesh ardhur aty ku duhet.
Duhet të kesh mbledhur një varg me "duhet".
Duhet me pasë,
një sens, një masë,
kujtimet thasë,
të ardhmen dërrasë,
të kalbur,
me këmbën që shket mbi të,
duke kërkuar ardhjen e çastit të ikjes.

Të ndalet ikja,
duhet ndalur ardhja,
bashkë me kohën lënë në shmang,
më mirë duhet ndalur vetja,
gjë e cila në u bëftë,
përherë bëhet keq.

Gusht 2022

Udhëtimi

Në udhëtime të gjata,
rëndësi ka më shumë rruga sesa mbërritja,
pamjet, përjetimet, vendimet,
sidomos vendimet në udhëkryqe:
se cilën rrugë duhet të zgjedhësh

të shkosh më shpejt nga shtegu që s'njeh,
apo të marrësh rrugën e gjatë të përhershme,
thikë me dy presa,
pra rruga është pak a shumë
zgjedhja e majës së thikës:
këto vendosin për mbërritjen.

Jeta është udha më e shkurtër që bëjmë,
ngaqë shtigjet që zgjedhim janë të shkurtra,
nuk i njohim,
ama veç t'i shkelim duam,
ato na shpien përherë te gabimi.
Rinisja është, si me thënë, rizgjedhja e gabimit.
Nga gabimi në gabim
jeta jonë vjen e shkurtohet,
bëhet pasojë,
brumë i ardhur shpejt.

Mbrëmja e mbrame mbërrin,
me shtigjet e gabuara tërkuzë,
ngatërruar sakaq në vrik.
A s'e sheh që udha më e shkurtër që bëjmë është jeta?
Çdo udhë tjetër e marrë është segment,
segment i ngushtë për te vdekja.
Mendoje si të duash!

Çfarë mendojnë për mua?

Prindërit e mi mendojnë se jam i urtë,
ndërsa ime shoqe mendon se jam i mirë,
Motrat mendojnë se jam i dashur,
dhe vëllezërit mendojnë se jam i zoti,
Shokët mendojnë se jam i mbarë.
Në fisin tim mendojnë se jam i pasur.
Ata të instagramit mendojnë se jam i shëtitur,
ndërsa ata të fejsbukut më dinë për shakaxhi.

Studentët mendojnë se jam njeri i zgjuar,
shefi mendon se jam punëtor,
në Dibër më dinë për shkrimtar,
në Kosovë po ashtu,
ndërsa në Tiranë nuk më njohin fare,
pak më pak në Durrës
dhe më pak në Amerikë.
Por po të më njihnin, do mendonin se jam spanjoll,
jo se kam ndonjë shenjë, por doja të isha i tillë.
Të tjerë mendojnë se jam intelektual,
pak kush mendon se jam poet.
E di, të gjithë ia fusin kot.
Unë nuk jam asnjëra nga këto.
Se çfarë jam as vetë s'e di.
Kur ta marr vesh do t'jua them.
Deri atëherë shijoni këtë poezi,
dhe ndërkohë mundohuni të jetoni.
Veç mos më mbani inat
ose më mbani, por jo shumë,
sidoqoftë, punë për ju.

Korrik 2022

Të qëndrosh duke ikur

Një mënyrë e mirë për të qëndruar është të ikësh,
në heshtje,
aq butë, pa ta kuptuar as gjethet e pemëve,
as zogjtë e harruar të vjeshtës,
as pllakat e shtrembëta të trotuareve,
as semaforët, këta gushëkuqë të qytetit,
as kamerat e sigurive,
as faturinot nëpër urbane,
as poezitë që presin të shkruhen
në mënyrën më patetike të mundshme.
Të ikësh nuk është aspak gjë e keqe,

madje të ikësh sa më larg më mirë,
të ikësh sa më shpejt, më shpesh,
mbrëmjes, natën, në bash mesin e natës.
Të krijosh zbrazëtira sa të mundesh:
kjo pra është punë guximi.

Mënyra më e mirë për të qëndruar
është të ikësh.
Si fëmija që sapo nis të ecë,
që të mos rrëzohesh duhet hedhur shpejt hapin tjetër,
përpara me kokën në horizont,
duke kërkuar pikëmbërritjen e radhës,
vendin e parë ku të lëshosh duart.
Ikja mban ekuilibrat,
domethënë të mendosh për rrugën,
ky është hapi galopant,
si ecja me biçikletë,
gungat duhen lënë në shmangie për të ruajtur ekuilibrin.

Të ikësh është domosdoshmëri;
ideja e të liruarit vend
të bën të mendosh se ke bërë, në mos gjënë e duhur,
së paku gjënë e mirë,
pikërisht,
se bota gjithmonë do ta bëjë me gisht.

Të tentosh të ikësh pa u ndjerë,
të tjerët do ta ndjejnë ikjen tënde,
kësisoj do bësh gjënë më të çmuar në jetë,
t'u mbetesh në kujtesë,
ashtu siç ishe herën e fundit,
i buzëqeshur, si degëz blu zambaku.

Të ikësh pra,
është çështje mbetjeje,
sa më heshtshëm, sa më ngutshëm.

2022

ISAAC BASHEVIS SINGER
Nobel 1978

Çelësi

Rreth orës tre pasdite, Besi Popkin filloi të gatitej të zbrite shkallët për të dalë në rrugë. Dalja nxirrte shumë telashe, veçanërisht në një ditë të nxehtë vere: së pari, të vinte me forcë një korse në trupin e shëndoshë, të ngjishte këmbët e ënjtura në këpucë dhe të krihte flokët, që Besit i shpupuriteshin si mos më keq, pasi i lyente në shtëpi me të gjitha ngjyrat, me të verdhë, të zezë, gri, të kuqe; pastaj të sigurohej që ndërsa ishte jashtë, fqinjët të mos hynin në apartament dhe t'i vidhnin të linjtat, teshat, dokumentet ose thjesht t'ia kthenin gjërat përmbys apo t'ia zhduknin krejt.

Përveç torturuesve njerëzorë, Besi vuante nga demonët, xhindet, fuqitë e liga. I fshihte syzet në komodinë dhe i gjente te një shapkë. E vinte shishen me bojë flokësh te dollapi i barnave; disa ditë më pas e gjente poshtë nënkresës. Një herë la një tenxhere me supë në frigorifer, por të Padukshmit e hoqën prej aty dhe, pas një kërkimi të gjatë, e gjeti në dollapin e rrobave. Në sipërfaqe kishte një shtresë të trashë yndyre, që lëshonte erën e dhjamit të prishur.

Se çfarë kaloi, sa rrengje i kishin bërë dhe sa herë kishte bërë sherre me zë të lartë, që të mos i ikte mendja apo të çmendej, vetëm një Zot e di. Nuk e prekte me dorë më dorezën e telefonit, sepse e merrnin ditë e natë gangsterë dhe të lapërdharë, që përpiqeshin t'ia nxirrnin sekretet. Një herë, shitësi portorikan i qumështit u përpoq ta përdhunonte. Çiraku te ushqimorja u orvat t'ia digjte të gjitha plaçkat me cigare. Për ta dëbuar nga apartamenti me qira, ku kishte jetuar për tridhjetë e pesë vjet, kompania dhe mbikëqyrësi përgjegjës ia infektuan dhomat me brejtës, minj e buburreca.

Besi e kishte kuptuar shumë kohë më parë se asgjë s'bënte dobi ndaj atyre që e kishin mendjen vetëm te ligësitë, as dera metalike, as brava speciale, as letrat drejtuar policisë, kryetarit të bashkisë, FBI-së dhe madje edhe presidentit në Uashington. Por kush rron duhet të hajë. Gjithçka merrte kohë: kontrollimi i dritareve, rubineteve të gazit, kyçja e sirtarëve. Paratë prej letre i ruante në vëllimet e enciklopedive, në kopjet e pasme të revistës "Gjeografia Kombëtare" dhe në librat e vjetër të Sam Popkinit. Aksionet dhe bonot e thesarit, Besi i kishte fshehur mes trungjeve në oxhak, që nuk i përdorte kurrë për zjarr, si dhe nën ulëset e karrigeve të lehta. Bizhuteritë i kishte qepur në dyshek. Ishte një kohë kur Besi kishte depozita në kasafortën e bankës, por ajo kishte kohë që e kishte bindur veten se rojet aty kishin çelësa që ia hapnin.

Rreth orës pesë, Besi ishte gati të dilte. I hodhi një vështrim të fundit vetes në pasqyrë: vogëlane, me trup të gjerë, ballë të ngushtë, hundë të sheshtë, sy të pjerrët dhe gjysmë të mbyllur, si të një kinezeje. Në mjekër i kishin dalë qime të vogla, të bardha. Kishte veshur një fustan të zbërdhulur me lule të stampuara në basmë, një kapelë kashte të shtrembëruar, të zbukuruar me qershi e vile rrushi dhe këpucë të vjetëruara. Para se të largohej, këqyri me hollësi për herë të fundit të tria dhomat dhe kuzhinën. Kudo kishte tesha, këpucë dhe pirgje letrash, që Besi nuk i kishte hapur. I shoqi, Sem Popkini, para se të vdiste, gati njëzet vjet më parë, kishte likuiduar biznesin e pasurive të paluajtshme, ngaqë do të dilte në pension dhe do të tërhiqej në Florida. Asaj ia la aksionet, obligacionet, libreza kursimesh në banka, si dhe disa hipoteka. Prej atëherë, firmat i shkruanin Besit, i dërgonin raporte, çeqe. Shërbimi i të Ardhurave të Brendshme mëtonte pagesë taksash. Me të kaluar disa javë, merrte njoftime nga një kompani funerali, që shiste parcela në një "varrezë të ajruar". Vite më parë, Besi u përgjigjej letrave, depozitonte çeqet, mbante shënime për të ardhurat dhe shpenzimet. Kohët e fundit i kishte lënë të gjitha pas dore. Madje s'e bleu më gazetën për të lexuar rubrikën e financës.

Në korridor, Besi vuri mbi to copa letrash me shenja që vetëm ajo mund t'i dallonte, midis derës dhe kornizës së derës. Vrimën e çelësit e mbushi me stuko. Çfarë tjetër mund të bënte ajo, një vejushë pa fëmijë, të afërm apo miq? Një herë e një kohë, fqinjët hapnin dyert, hidhnin sytë jashtë dhe qeshnin me kujdesin e saj të tepruar; të tjerë e ngacmonin. Por kishte shumë kohë që kjo s'ndodhte më. Besi s'këmbente fjalë me askënd. Për më tepër, nuk shihte mirë. Syzet që kishte mbajtur për vite me radhë s'i bënin më dobi. Të shkoje te okulisti për të marrë të reja ishte përpjekje e madhe. Gjithçka ishte e vështirë, edhe të hyje dhe të dilje nga ashensori, dera e të cilit mbyllej gjithmonë duke u përplasur.

Besi rrallë shkonte më larg se dy blloqe nga ndërtesa ku banonte. Rruga midis Broudueit dhe Riversajd Drajvit bëhej më e zhurmshme dhe më e papastër, ditë pas dite. Një luzmë fëmijësh rrugësh vraponin gjysmëlakuriq. Burra lëkurëzeshkët me flokë kaçurrela dhe sy të egërsuar grindeshin në spanjisht me gra shtatvogla, që zakonisht i shihje gjithmonë me bark të fryrë prej shtatzënisë. Fjaloseshin me zëra të çjerrë. Qentë lehnin, macet mjaullinin. Shpërthyen zjarret dhe sakaq ia behën zjarrfikëset, ambulancat dhe makinat e policisë. Në Brouduei, ushqimoret e dikurshme ishin zëvendësuar nga supermarketet, ku ushqimi duhet të zgjidhej dhe të futej në një kosh me rrota dhe duhej ta vije në radhë para arkëtarit.

Zoti i madh, që kur vdiq Semi, Nju Jorku, Amerika, ndoshta e gjithë bota, po shkërmoqej. Të gjithë njerëzit e ndershëm ishin larguar nga lagjja e pushtuar nga një turmë hajdutësh, plaçkitësish dhe putanash. Tri herë ia kishin vjedhur Besit çantën e dorës. Kur e denoncoi vjedhjen në polici, ata vetëm sa qeshën me të. Sa herë që kaloje matanë rrugës, rrezikoje jetën. Besi bëri një hap para dhe ndaloi. E kishin këshilluar të përdorte bastun, por ajo kurrsesi s'mund ta shihte veten si plakë apo sakate. Me të kaluar ca javë, thonjtë i lyente me ngjyrë të kuqe. Ndonjëherë, kur reumatizma e linte të qetë, nxirrte rrobat nga dollapët, i vishte, i provonte dhe shqyrtonte me vëmendje veten në pasqyrë.

Hapja e derës së supermarketit ishte e pamundur. I duhej të priste derisa dikush ta hapte dhe ta mbante të hapur për të. Vetë supermarketi ishte një vend që vetëm Djalli mund ta kishte shpikur. Dritat lëshonin dritë verbuese. Njerëzit që shtynin karrocat kishin të ngjarë të rrëzonin përtokë këdo që u priste rrugën. Raftet qenë ose shumë të larta ose shumë të ulëta. Zhurma ishte shurdhuese dhe kontrasti midis nxehtësisë së jashtme dhe temperaturës së ngrirjes brenda ishte i hatashëm! Ishte mrekulli që s'e zuri pneumonia. Më shumë se nga çdo gjë tjetër, Besi u torturua nga pavendosmëria. Merrte artikujt me dorën që i dridhej dhe u lexonte etiketën. Nuk e bënte prej lakmisë së kohës së rinisë, por prej pasigurisë së moshës. Sipas llogaritjeve të Besit, psonisja e sotme s'duhej të kishte zgjatur më shumë se një çerek ore, por kishin kaluar plot dy orë dhe Besi ende s'kishte përfunduar. Kur më në fund e solli karrocën te arkëtari, u kujtua që kishte harruar kutinë me bollgur. Iu desh të kthehej dhe një grua ia zuri vendin në radhë. Më vonë, kur pagoi, pati telashe të tjera. Besi e kishte vënë faturën në anën e djathtë të çantës, por s'e gjeti aty. Pasi rrëmoi për një kohë të gjatë, e gjeti në një ndarëse të vogël në anën e kundërt. Po, kush mund ta besonte se mund të ndodhnin gjëra të tilla? Po t'ia tregonte kujt, do të mendonte se ishte gati për në çmendinë.

Kur Besi hyri në supermarket, ishte ende ditë; kurse tani kishte nisur të binte muzgu. Dielli, i verdhë dhe i artë, po fundosej në drejtim të Hadsënit, tej në kodrat e mjegullta të Nju Xhersit. Ndërtesat në Brouduei rrezatonin nxehtësinë që kishin thithur. Nga poshtë grilave, ku uturinin trenat e metrosë, dilnin tymra me erë të keqe. Besi mbante në njërën dorë qesen e rëndë me ushqim dhe me tjetrën shtrëngonte fort çantën e dorës.

Asnjëherë nuk i ishte dukur Brouduei kaq i egër, kaq i ndyrë. Qelbej nga era e asfaltit të qullur, benzina, frutat e kalbura, jashtëqitjet e qenve. Në trotuar, mes gazetash të grisura dhe bishtave të cigareve, uleshin dhe ngriheshin pëllumbat. Ishte e vështirë të kuptohej se si nuk shkeleshin nga kalimtarët që rendnin me nxitim. Nga qielli flakërues po binte një pluhur i artë. Përpara një vitrine me bar artificial, burrat me këmishët gjithë djersë pinin rrëmbimthi pijet me lëng papaje dhe ananasi, sikur po përpiqeshin të shuanin një zjarr që i kishte përpirë nga brenda. Mbi koka u vareshin arra kokosi të gdhendura në forma indiane. Në një rrugë anësore, fëmijë të bardhë dhe zezakë kishin hapur kapakun e një pusete dhe, të zhveshur, spërkateshin në vijën e ujit të kanalit buzë rrugës. Në mes të kësaj vale të nxehti, një kamion me mikrofona kalonte duke buçitur nga këngë çjerrëse dhe një zë shurdhues që fliste për kandidatin në zgjedhjet politike. Nga pjesa e pasme e një kamioni, një vajzë, me flokët që i ngriheshin përpjetë si tela, flakte fletëpalosje.

Gjithçka shkonte përtej fuqive të Besit, kalimi i rrugës, pritja e ashensorit dhe më pas të dilte në korridorin e katit të pestë para se dera të përplasej. Besi i lëshoi ushqimet e blera te pragu i derës dhe kërkoi të gjente çelësat. Përdori majat e thonjve për të nxjerrë stukon nga vrima e bravës. Futi çelësin brenda dhe e ktheu. Por ajme, çelësi u thye. Në dorë i mbeti vetëm doreza. Besit ia rroku mendja plotësisht gjëmën. Banorët e tjerë në ndërtesë kishin kopje të çelësave të tyre të varur në apartamentin e mbikëqyrësit, por ajo s'i besonte askujt, prej ca kohësh kishte porositur një brave të rë, për të cilën ishte e sigurt se asnjë çelës kopil s'mund ta hapte. Kishte një kopje të atij çelësi diku në një sirtar, por me vete mbante vetëm këtë. "Epo, ky është fundi", ofshau Besi me zë të lartë.

S'kishte kujt t'i drejtohej për ndihmë. Fqinjët ishin armiq për vdekje. Mbikëqyrësi kishte kohë që priste rënien e saj. Besi ndiente një lëmsh aq të madh në fyt sa nuk qante dot. Vështroi përreth, duke pritur të shihte qoftëlargun, që ia kishte dhënë këtë goditje përfundimtare. Besi kishte kohë që kishte bërë paqe me vdekjen, por të vdisje në shkallë ose në rrugë ishte shumë mizore. Dhe kush e di se sa mund të zgjaste një agoni e tillë? Ajo filloi të bluante në mendje. A ishte ende i hapur ndokund ndonjë dyqan ku bëheshin çelësa? Edhe sikur të kishte, si do ta kopjonte çelësin bravatari? Do t'i duhej të vinte këtu me mjetet e tij. Për këtë, duhej një mekanik që kishte lidhje me firmën që i prodhonte këto brava të posaçme. Nëse kishte të paktën para me vete, por ajo kurrë s'merrte më shumë sesa duhej të shpenzonte. Arkëtari në supermarket i kishte kthyer vetëm njëzet cent. "O nëna ime e shtrenjtë, s'dua të jetoj më!", rënkoi Besi në jidisht , e habitur që papritur foli në atë gjuhë gjysmë të harruar.

Pas shumë mëdyshjesh, Besi vendosi të kthehej poshtë në rrugë. Ndoshta një dyqan pajisjesh elektronike ose një nga këto dyqanet e vogla të specializuara vetëm për çelësa ishte ende i hapur. I kujtohej se në lagje kishte parë në njërën prej tyre një raft me çelësa të tillë. Në fund të fundit, çelësat e të gjithë njerëzve thyhen. Po me ushqimin çfarë të bënte? E rëndonte shumë po ta mbante me vete. S'kishte zgjidhje tjetër. Ishte e detyruar ta linte qesen te dera. "Për ta vjedhur kanë gjithsesi", tha Besi me vete. Kush e di, mbase fqinjët e kishin sjellë qëllimisht bravën në këtë gjendje që ajo të mos hynte dot në banesë dhe më pas t'ia grabitnin apo ia shkalafisnin plaçkat.

Para se Besi të zbriste me ashensor dhe të dilte në rrugë, ajo vuri veshin te dera. S'dëgjoi asgjë përveç një murmuritjeje që s'pushonte, shkakun dhe origjinën e së cilës Besi nuk arrinte ta kuptonte. Nganjëherë ngjasonte me tiktak ore; herë të tjera si gumëzhimë ose rënkim, një gjallesë e burgosur në mure ose në tubacionet e ujit. Në mendjen e saj, Besi i la shëndenë ushqimit, i cili duhej të ishte futur tashmë në frigorifer, jo të lihej aty në mes të vapës. Gjalpi do të shkrihej, qumështi do të thartohej. "Është dënim për mua! Jam e mallkuar, e mallkuar!", mërmëriti Besi. Një fqinj po gatitej të zbriste me ashensor dhe Besi i bëri shenjë ta mbante derën hapur për të. Ndoshta ai ishte një nga hajdutët. Ndoshta do të përpiqej ta mbërthente fizikisht, ta sulmonte. Ashensori zbriti dhe burri e hapi derën për të. Ajo donte ta falënderonte, por heshti. Pse t'i falënderonte armiqtë? Këto ishin marifetet e tyre djallëzore.

Kur Besi shkeli në rrugë, nata kishte rënë. Kanali buzë rrugës ishte përmbytur nga uji. Dritat e rrugëve pasqyroheshin në ujnajën e zezë si në një liqen. Sërish kishte rënë zjarr në lagje. Dëgjoi kujën e një sirene, uturimën e motorëve të makinave zjarrfikëse. Këpucët i ishin lagur. Doli në Brouduei dhe vapa iu përplas në fytyrë si pluhur i nxehtë qymyri. Kishte vështirësi të shihte gjatë ditës; natën ishte gati e verbër. Në dyqane kishte dritë, por Besi s'e dallonte dot rrugën me aq dritë sa lëshonin. Kalimtarët përplaseshin me të dhe Besi u pendua që nuk kishte bastun. Sidoqoftë, filloi të çapitej ndanë dritareve. Kaloi barnatoren, furrën e bukës, dyqanin e qilimave, ndërtesën e shërbimeve funerale, por asgjëkundi nuk i zuri syri një dyqan pajisjesh elektronike. Besi vazhdoi rrugën. Fuqitë po i shtereshin, por ishte e vendosur të mos dorëzohej. Çfarë duhet të bëjë njeriu kur i thyhet çelësi, të vdes? Ndoshta t'i drejtohet policisë. Duhej të kishte patjetër një institucion përgjegjës në raste të tilla. Por ku ishte?

Duhet të kishte ndodhur një aksident. Trotuari ishte mbushur me spektatorë. Makinat e policisë dhe një ambulancë kishin bllokuar rrugën. Dikush e spërkati asfaltin me një zorrë uji, ndoshta për të pastruar gjakun. Besit iu duk sikur sytë e të pranishmëve shkëlqenin nga një kënaqësi e çuditshme. "Ata u gëzohen fatkeqësive të të tjerëve", mendoi ajo. Është ngushëllimi i tyre i vetëm në këtë qytet të mjerë. Jo, ajo s'do të mundej të gjente askurrkënd për ta ndihmuar.

Sosi para një kishe. Disa hapa më tutje të çonin te dera e mbyllur, e cila mbrohej nga një lloz dhe errësohej nga hijet. Besi mezi mundi të ulej. Gjunjët iu dridhën. Këpucët kishin filluar ta vrisnin te majat dhe mbi taka. Një kockë doli nga korseja dhe i hyri në mish. "Epo, të gjitha fuqitë e së keqes po më sulmojnë sonte". Uria bashkë me ndjesinë e të vjellës ia trazoi zorrët. Një lëng acid i rrodhi te goja. "Ati ynë në qiell, ky është fundi im". Iu kujtua fjala e urtë në jidisht: "Kush jeton pa menduar për vdekjen, vdes pa u rrëfyer". Ajo kishte lënë pas dore edhe shkrimin e testamentit.

Besi duhej të kishte dremitur, sepse, kur hapi sytë, kishte pllakosur qetësia e natës vonë. Rruga ishte gjysmë e zbrazët dhe e errët. Dritat para dyqaneve ishin fikur. Vapa kishte avulluar dhe ajo ndjeu të ftohtin nën fustan. Për një çast mendoi se i kishin vjedhur çantën, por ishte një shkallë poshtë saj, ku ndoshta kishte rrëshqitur. Besi u rrek të zgjaste dorën për ta kapur, krahu i ishte mpirë. Kokën, të mbështetur pas murit, e ndiente të rëndë si gur. Këmbët i ishin bërë dru. Veshët dukej se i ishin mbushur me ujë. Ngriti njërën qepallë dhe pa hënën. Rrinte pezull në qiell mbi një çati të rrafshët dhe pranë saj vezullonte një yll i gjelbër. Besi mbeti gojëhapur nga habia. Gati kishte harruar se kishte qiell, hënë, yje. Kishin kaluar vite dhe ajo kurrë nuk e kishte ngritur vështrimin lart - gjithmonë me sytë poshtë. Dritaret i kishte mbuluar me perde të trasha, në mënyrë që spiunët matanë rrugës të mos e shihnin dot.

Epo, nëse do të kishte një qiell, ndoshta kishte edhe një Zot, engjëj, Parajsë. E ku tjetër preheshin shpirtrat e prindërve të saj? Po Semi, ku ishte tani? Ajo, Besi, nuk i kishte përmbushur aspak detyrimet e veta. S'kishte vajtur kurrë te varri i Semit në varreza. Madje as një qiri nuk ia ndezi në përvjetorin e vdekjes. Kishte qenë kaq e zhytur në rravgimin me gjëra më të rëndomta sa kishte harruar ato më të epërmet. Për herë të parë pas kaq shumë vitesh, Besi ndjeu nevojën për të thënë një lutje. I Plotfuqishmi do ta mëshironte edhe pse ajo s'e meritonte. I ati dhe e ëma ndoshta i dilnin krah atje lart. Disa fjalë hebraike i kishte në majë të gjuhës, por s'i mbante mend. Pastaj iu kujtuan. "Dëgjo, o Izrael". Por çfarë tha më pas? "Më fal, o Zot!", u lut Besi. "Unë meritoj gjithçka që më ndodh".

Rruga u bë më e qetë dhe më e freskët. Drita e semaforëve ndryshoi nga e kuqe në e gjelbër dhe rrallë kalonte ndonjë makinë. Një zezak u shfaq nga diku. Iu morën këmbët. U ndal jo shumë larg Besit dhe ktheu sytë nga ajo. Pastaj vazhdoi rrugën. Besi e dinte që çantën e kishte plot me dokumente të rëndësishme, por për herë të parë s'e vrau mendjen për ato që kishte. Semi i kishte lënë një pasuri; e gjitha kishte shkuar kot së koti. Ajo kishte vazhduar të kursente për pleqërinë a thua se ishte ende e re. "Sa vjeçe jam?", pyeti Besi papritmas veten. "Çfarë arrita gjithë këto vite? Pse s'shkova diku, pse s'i shijova paratë që kam, pse s'ndihmova njeri?". Diçka brenda saj qeshi. "Isha e pushtuar krejt nga fuqi të liga, s'isha vetvetja. Si mund të shpjegohet ndryshe?". Besi u shtang. Ndihej sikur të ishte zgjuar pas një gjumi të gjatë. Çelësi i thyer kishte hapur një derë në trurin e saj, që ishte mbyllur pasi vdiq Semi.

Hëna ishte zhvendosur në anën tjetër të çatisë qiellore, jashtëzakonisht e madhe, e kuqe, me fytyrë të fshirë. Tani po bëhej ftohtë. Besi po dridhej. Kuptoi se mund të merrte shumë lehtë pneumoninë, por frika e vdekjes ishte zhdukur, tok me frikën për të mbetur e pastrehë. Fllade të freskëta frynin nga lumi Hadsën. Në qiell u shfaqën yje të rinj.

Një mace e zezë iu afrua nga ana tjetër e rrugës. Për pak, ndenji buzë trotuarit dhe sytë e saj të gjelbër shikonin ngultas Besin. Pastaj ngadalë dhe me kujdes u afrua. Për vite me radhë Besi i kishte urryer të gjitha kafshët: qentë, macet, pëllumbat, madje edhe harabelat. Bartnin sëmundje. Ndynin gjithçka. Besi besonte se një demon fshihej te çdo mace. I frikësohej sidomos takimit me një mace të zezë, e cila përherë ishte ogur i së keqes. Por tani Besi ndjeu dashuri për këtë krijesë, që s'kishte shtëpi, as pasuri, as dyer apo çelësa dhe jetonte prej bujarisë së Zotit. Përpara se macja t'i afrohej Besit, ajo i mori erë çantës. Pastaj filloi të fërkonte shpinën me këmbë, ngriti bishtin lart dhe mjaulliu. "E gjora, është e uritur. Sikur të mundja t'i jepja diçka. Si mund ta urresh një krijesë si kjo?", pyeti veten Besi. "O nëna ime, më kanë pas bërë magji, magji. Do të filloj një jetë të re". Një mendim i pabesë i kaloi si vetëtimë në mendje: "Ndoshta të martohej sërish?".

Nata s'kaloi pa aventura. Një herë, Besi pa një flutur të bardhë në ajër. Qëndroi për pak kohë mbi një makinë të parkuar dhe më pas u ngrit fluturim. Besi e dinte se ishte shpirti i një foshnjeje të porsalindur, pasi fluturat e vërteta nuk fluturojnë pasi ka rënë errësira. Një herë tjetër u zgjua dhe pa një lëmsh zjarri, një lloj flluske sapuni të ndezur, që fluturonte nga një çati në tjetrën dhe zhytej pas saj. Ishte e vetëdijshme se ajo që pa qe shpirti i dikujt që sapo kishte vdekur. Besin e kishte zënë gjumi. U zgjua si nga një makth. Kishte gdhirë. Nga ana e "Central Parc" lindi dielli. Besi s'mund ta shihte nga aty, por në Brouduei qielli u bë rozë dhe i kuqërremtë. Në të majtë të ndërtesës shndritën rrezet e diellit në dritare; kornizat u përmbytën nga drita sa hap e mbyll sytë dhe ngjanin si vrima të një anijeje. Një pëllumb u ul aty pranë. U çapit me këmbkat e kuqe dhe u hodh mbi diçka që mund të ishte një copë bukë e pistë ose baltë e tharë. Besi ishte hutuar krejt. "Si jetojnë këta zogj? Ku flenë natën?

Dhe si mund t'i mbijetojnë shiut, të ftohtit, borës? Do të shkoj në shtëpi", vendosi Besi. Njerëzit s'do të më lënë rrugëve.

Ngritja në këmbë ishte mundim i vërtetë. Trupi ngjante si i ngjitur pas shkallës ku ishte ulur. I dhimbte shpina dhe këmbët i thernin. Megjithatë, filloi të ecte ngadalë drejt shtëpisë. Thithte ajrin e lagësht të mëngjesit. I vinte erë bari dhe kafeje. Nuk ishte më vetëm. Nga rrugët anësore dolën burra dhe gra. Po venin në punë. Blenë gazeta në stendë dhe zbritën në metro. Ishin të heshtur dhe çuditërisht paqësorë, sikur edhe ata të kishin kaluar një natë kërkimi shpirtëror dhe të kishin dalë prej saj të dëlirur. "Sa herët zgjohen, nëse tani janë në rrugë për në punë", mendoi e habitur Besi. Jo, jo të gjithë në këtë lagje ishin gangsterë dhe vrasës. Madje, një i ri e përshëndeti duke i thënë "mirëmëngjes" Besit. Ajo u përpoq t'i buzëqeshte, duke kuptuar se e kishte harruar këtë gjest femëror, që e njihte aq mirë në rininë e saj; ishte thuajse mësimi i parë që i kishte dhënë nëna.

Arriti te ndërtesa ku banonte dhe jashtë ishte mbikëqyrësi irlandez, armiku i saj për vdekje. Po fliste me grumbulluesit e plehrave. Kishte shtat gjigant, hundë të shkurtër, buzën e sipërme të gjatë, faqe të zhytura brenda dhe mjekër të mprehtë. Qimet e verdha të flokëve i mbulonin disi kokën tullace. Ai i hodhi Besit një vështrim që shprehte befasi.

- Çfarë të ka ndodhur, gjyshe?

Duke belbëzuar, Besi i tregoi se çfarë i kishte ndodhur. I tregoi dorezën e çelësit që kishte shtrënguar në dorë gjatë gjithë natës.

- O Perëndi! – klithi ai.

- Çfarë duhet të bëj? - pyeti Besi.

- Do t'jua hap unë derën.

- Por ju s'keni çelës kopil.

- Ne duhet të jemi në gjendje t'i hapim të gjitha dyert në rast zjarri.

Mbikëqyrësi u zhduk në apartamentin e tij për disa minuta, më pas doli me disa vegla dhe një tufë çelësash të futur në një unazë të madhe. U ngjit në ashensor tok me Besin. Çantën e ushqimeve e gjetën ende në prag, por dukej e zbrazur.

Mbikëqyrësi iu përvesh punës te brava.

Ai pyeti:

- Çfarë janë këto copa letre?

Besi nuk u përgjigj.

- Pse nuk erdhe tek unë të më tregoje çfarë ndodhi? Të bredhësh gjithë natën në moshën tënde, o Perëndi!

Ndërsa po çmontonte bravën me veglat e veta, një derë u hap dhe prej saj doli një grua shtatvogël me rroba shtëpie dhe pantofla, me flokë të lyera dhe të bëra kaçurrela.

Ajo tha:

- Çfarë të ka ndodhur? Sa herë që hapja derën, shihja këtë çantë. Mora gjalpin dhe qumështin tënd dhe i vura në frigoriferin tim".

Besi mezi i mbajti lotët.

- O njerëzit e mi të mirë, - tha ajo. - Unë nuk e dija se...

Mbikëqyrësi nxori gjysmën tjetër të çelësit të Besit. Kjo i mori pak më shumë kohë. Ktheu një çelës dhe dera u hap. Copat e letrave ranë poshtë. Ai hyri në korridor me Besin dhe ajo ndjeu erën e mykut që ka një apartament ku nuk banohet prej kohësh.

Mbikëqyrësi tha:

- Herën tjetër, nëse ndodh diçka e tillë, më telefono. Kjo është puna ime.

Besi donte t'i jepte bakshish, por duart i kishte shumë të pafuqishme për të hapur çantën. Gruaja fqinje solli qumështin dhe gjalpin. Besi hyri në dhomën e gjumit dhe u shtri në krevat. Ndinte shtrëngim në gjoks dhe sikur do të kishte të vjella. Diçka e rëndë e drodhi nga këmbët deri në gjoks. Besi e dëgjoi pa u shqetësuar, vetëm me kureshtjen për trillet e trupit; mbikëqyrësi dhe fqinji bisedonin dhe Besi nuk ishte në gjendje t'i kuptonte se çfarë po thoshin. Një gjë e tillë i kishte ndodhur më shumë se tridhjetë vjet më parë kur i ishte dhënë anestezi në spital para një operacioni: mjeku dhe infermierja po flisnin, por zërat e tyre dukej se vinin nga larg dhe në një gjuhë të çuditshme.

Sakaq ra heshtja dhe Semi u shfaq. Nuk ishte as ditë, as natë - një muzg i çuditshëm. Në ëndërr, Besi e dinte që Semi kishte vdekur, por në një mënyrë të fshehtë kishte arritur të largohej nga varri dhe t'i bënte një vizitë. Ai ishte i pafuqishëm dhe në siklet. Nuk fliste dot. Ata u endën nëpër një hapësirë pa qiell, pa tokë, një tunel plot me gërmadha - rrënojat e një ndërtese pa emër - nëpër një korridor të errët dhe dredha-dredha, por disi të njohur. Sosën në një vend ku takoheshin dy male dhe shtegu midis tyre shkëlqeu si perëndimi apo lindja e diellit. Qëndruan aty mëdyshas dhe madje pak të turpëruar. Njësoj si atë natë në muajin e tyre të mjaltit, kur shkuan në Elënvill në malet Ketskills dhe pronari i hotelit i futi në suitën martesore. Ajo dëgjoi të njëjtat fjalë që ai u kishte thënë atëherë, me të njëjtin zë dhe intonacion: "S'keni nevojë për çelës këtu. Vetëm hyni - dhe mazel to".

Botuar në "The New Yorker", 6 dhjetor, 1969.

Përktheu nga anglishtja: Granit Zela

ARBËR AHMETAJ

Kënga e këngëve

1.
E dashura ime,
po këndoj një këngë,
që je ti!

Ti je gruaja ime çdo sekondë.
Po,
ti je kënga që dua të këndoj në mëngjes,
lutja që pëshpërit i përunjur në mbrëmje,
je drita e ditës e rrezet e hanës,
je lëndina ku dua të prehem,
lumi ku dua të lahem,
je e hëna dhe e diela ime,
je java e krejt jeta,
je mbrëmja e pikëllimtë
e mëngjesi i mbytur në dritë.
Je ecja e udha,
je caku e nisja,
je hapi i parë krahas timit,
mbërritja je,
panginja...
Uji i kroit pas kodre,
e përroit mes pylli,
etja e ëmbël, ah o zot,
që as akullnajat s'ma shuajnë dot.
Je reja e lehtë,
që ma heq diellin prej qafe,
e shiu që më lag,
që m'shndërron në gjethe.

Ti fluturon rreth meje,
si zogu i vetmuar i bjeshkës,

60

ti m'i kthen shkëmbinjtë në ura,
më ndihmon të eci mbi ujëra,
t'i kapërcej krejt malet,
ti thua "Prit!" e breshëri ndalet.
Ti u thua ujqërve: "Po kalon burri që dua!".
Ata ulen e presin, kokë mënjanuar.
Ty t'binden edhe insektet... Ajnshtajni,
boshti i rrotullimit të globit thyhet para teje!
- Po kalon burri që dua!
E as retë s'ndjejnë dhimbje kreje.
Bubat e verës të ecin qiellit t'syve,
e bëhet verë në janar,
e kam krejt pasurinë e botës
në një puthje,
siç i ka ngjyrat një pikël vese mbi bar.

E di,
kryqëzimet e hutuara s'të çojnë askund,
ndaj e hap vetë udhën i pari;
shtegun e kam në zemër!
Këmbët që s'më sjellin tek ti,
do t'ia fal një spitali...

Ti je,
unë vij.
Në letër i shkruajta veç dy fjalë:
Të dua!
E lashë para se të dilja,
nëse dot nuk mbërrij,
për ku isha nisur gjithkush do ta dijë!

Ti je shpërndarë tashmë në shpirtin tim,
e unë kam marr formën tënde,
i lëngshëm kristalizohem,
i bukur, si ti,
qëndisur me dritë hëne.

Ti je gruaja ime çdo sekondë,
po,
ti je
kënga e këngëve!

2.
Mes pikës së lotit dhe portit të buzëqeshjes,
shtrihet planeti yt!
Nxjerr anijet nga pylli e nisem!

Nga pylli dilnin anijet dikur;
tash dalin nga fundi i dheut.
Prej druri anija që rrëmbeu Helenën,
e drunjtë ajo e Odiseut,
nga pylli doli edhe kali,
që mposhti Priamin plak;
Troja e trimave u mund.

Është stinë mbjelljesh shpirt;
farat e dritës duan durim.

Zoti bëri ditën e ty krejt në fund!

Noto në sytë e mi, oqean në blerim!
S'kam grua tjetër,
t'kam ty,
veç ty!

Mes pikës së lotit
dhe portit të buzëqeshjes tënde,
shtrihet planeti im!

3.
Më endesh enëve të gjakut
e m'prek në zemrën që të do.
Grua e rrallë!

E thjeshtë është zemra ime;
të dashuron!

Të dua, shpirt!
Ta puth krejt lëkurën,
ka diell e vullkan,
ka dëshirë me u djegë.
E di, bebja ime?
Të dua!
E kjo m'bën njeri më të bukur.
Bebja ime,
je e vockël shpirt,
sa Cervin!

Ti ke buzë të ëmbla
e puthje që më shndërrojnë në avull.
Me një dashuri si kjo,
i pajtoj palestinezët me izraelitët,
Iranin me Amerikën
e Arabinë Saudite.
E dije një gjë:
je e vetmja grua në planet,
që ma jep këtë ndjesi!
Të puth
e të mbaj në gji.

4.
A shpëtohen zogjtë,
po ua preve pemën ku kanë folenë?

Po të rrëzohem unë,
edhe ti bie.

Aty rri
e mos u trishto kurrë!

Të do një burrë,

i fortë,
i ëmbël...

Lëkundem me ty si anije në pyll.

A të kujtohet ajo ditë shiu me furtunë,
kur erdhe e djersitur tek unë?

Ah, sa më pëlqeu... sa shumë...
S'kisha çadër, m'lage n'lëkurë...

Jam i lumtur nën hijen tënde...

Prej dritës që rrezaton
ndjehem si yll.

Ta puth lotin e buzëqeshjen,
planetin mes tyre.
E amla ime prej uji,
rrezesh e klorofili...
Puthje blete,
ëndërr mjalte...

5.
Shpirti im,
e kam një poezi me qershi.

Ulem në një degë
e këndoj një këngë,
që je ti.

Grua e ëmbël,
si bojli.
Sa herë t'i puth buzët
hutohem,
mrekullohem,

ke lëng në shpirt,
në zemër njerëzi
e hijeshi hyjnore në sy.

Nga larg t'vezullojnë hojet e mjaltit;
udha m'knaq,
më nxit me u nis drejt tyre.

Ti je simfonia ime!

Ti e di, shpirt,
një këngë kam unë:
Ty!
Ma mësuan zogjtë,
është kënga e ringjalljes,
e ngjitjes në degë.
Plot zemra ime me bojli për ty,
krejt kopshtijet e saj
kuqëlojnë qershiza për buzët e tua,
nga Ispahani në Irlandë.

Merrma zemrën përdore në udhëtim;
Ty zogjtë të thërrasin "mami"
kur u jep thërrmija
e qiell u fal
për fluturim.

6.
Dje nuk më the: të dua!
Ç'trishtim!
Por unë të dua
gjithqysh,
shpirti im!

Ti je kudo,
të prek gjithkund,

65

në një re që vje',
që s'vje'
e në atë që shko'.

Më vjen të qaj!

Oh, si do qaja në prehrin tënd,
si një kreshnik;
do trandej dheu prej dritherimave të mia
por as zogjtë, as xixëllonjat s'do më dëgjonin,
veç ti.
E do më thoshe: mjaft trimi im!
Bjeshkë e vrri i fute n'dhe!
Puthmë e t'marrin frymë zanat e malit!
T'prajnë një çast ofshamat e barit.

S'e di!
kam qejf me u ngatërrue nganjëherë
me ty,
me t'dashtë,
me t'ra n'gjunjë,
me t'marr kaliqafë,
me t'rrzue n'bar,
me t'ra përmbi,
me t'puthë në sy,
me u rreknye lëndinës
dy trupa në një.

Dje s'më the: të dua!
Ndjeva si u shkima një çast,
jo më gjatë,
se m'vjen prej eprit vala e shpirtit tand,
që më do.
E di që më do!
Ta adhuroj atë zemër,
atë grua të bukur që je,
atë njeri të naltë që je,

atë të dashur të ëmbël që je,
pëlhurë lulesh mëndafshi mbi dhe,
grua xixëlluese,
akull e zjarr,
që m'ke fut brenda lëkurës,
më ngre në qiell,
më degdis në varr.

Të puth e të dua!
Mos u zemëro me mua!
Ose zemërohu,
ti e di,
unë të dua gjithsesi!

7.
Kur je larg, shpirti im,
veç çka fluturon ka të drejtë me t'pa,
edhe qielli.

Shtrirë në një shkretëtirë tjetër,
më kujtojnë të vdekur,
por shpirtin ma ke ti
e ma nis me një
pikël shi.
Brenda saj
të shoh edhe ty,
ringjallem
mbrëmjeve vonë.

Vonë?!

S'është kurrë
për një burrë,
se për shumë më pak,
u dogjën në turrë
drush të njoma,
u prenë në gijotinë,

nën një qiell
pa re,
si poshtërimë,
gra e burra të dashuruar,
të një tjetër epoke,
filiza të njomë nën thundra,
të kësaj toke.

Më thua se jam rrëmujë?
Jo!
Në shpirtin tim,
ti je e vetmja kthjelltësi!
Gjithkund tjetër bie shi.

8.
Yje në faj?
Po në faj;
e dinë veten më të hijshëm se ti!

Të puth në yllin e buzës së Arushës së Madhe,
edhe t'Voglës,
s'dua të bëj diskriminim galaktik.
Ti je më e bukur se krejt këto që thashë,
ti je re shiu mbi thatësirë,
në fakt,
ti më njom veç mua: Ego-sistem.

Vij drejt teje,
shkoj drejt yjesh
e njomet oqeani.
Pastaj, ti e di,
asnjë kumbull s'nxjerr lule,
nëse ty s'të bie rruga pranë saj.
Yje në faj!
Po, në faj!

9.
Dua t'bëj dashuri me një manushaqe,
aty poshtë ferrës,
le t'i dalë aroma
pranverës.

Sa m'dhemb krejt pylli e gjethet,
që s'të kam sonte pranë!

M'thahen oqeanet e sytë e barit.

Veç një dritë larg në një galaktikë,
ma mëson gramatikën e shpresës;
thyhen vizatimet e akullit në qelq.

Gurët që më peshojnë në zemër,
shndërrohen në të çmuar,
t'i vendos në flokë.
Më në fund lumenjtë e kuptojnë,
që janë e vetmja rrugëdalje e oqeanit;
ujëra në pikë të hallit.

Ti
je kasaforta e shpirtit tim,
e hapur,
e parrezikuar.

Një grua si ti s'ka nevojë për armë
të ruajë zemrën e burrit që do;
gjithçka pushtohet,
një zemër e dashuruar gruaje
i ngjan asaj të luanit.

Ti i kthen mëtonjësit e trishtë në gurë,
ua këndon një këngë të hirtë, njëfjalëshe,
këngë ushtarësh: mbeçi!
E s'flet më.

Se ka edhe një mallkim te kënga e moçme:
Korbat sytë le t'ua hanë!

Një grua e dashuruar nuk nëm asnjëherë!
Ah, sikur ta dinit kë dua unë! – flet vetmevete
e këqyr mos t'ia lëndojë kush
atë fole të mbushur me vezë dielli në zemër,
një mijë e pesëqind vjet para (H)Omerit
(kur këngëve të shkruara iu hap dera).
Librin e parë e ka shkruar një grua,
se veç një libër është shkruar deri më sot:
Një grua e do një burrë!

E del pranvera!

10.
Ti e di sa vuajtje e përsosur është për mua
të dua një grua si ti.

Djersiten alpet
kur puthemi bashkë!

E ti je ma e hijshmja shkretinë,
akullnaja ma e bukur,
hana ma e hutuar,
oqeani ma i naltë,
rrahja më kërcënuese e zemrës,
gruaja e parë e urës
prej një planeti te një kometë,
që po përvëlohet,
ti,
kalë alpesh,
krejt avuj yjesh,
del nga një lëvozhgë dielli
e më puth.

S'di si mund të duhet më shumë se kaq,
si dëshirohet më ethshëm mishi,
se trupi yt avullues,
që, ah o zot, e kam përherë pranë.
Dua të mbytem aty,
të vdes aty,
me ëndrrën e bebeve,
me shpresën se bebe do lindin,
me dëshirën me më puthë si baba bebesh.
E ndjej në vete një dorë zoti,
një prekje hyjnore,
se ndryshe krejt e pamundur do ish
të kisha këtë fat me ty!
Ti më thua se kam lindur me këmishë drite.
Duhej të ish me shumë diej, shpirt;
ti nuk meritohesh veç me një diell!
Dhe nuk e kuptoj si lufta
zgjat kaq pak për një grua si ti,
e pafund duhet të jetë,
le të mbillet kripë e t'mos ketë blerim,
kurrë bar mos mbiftë oborreve të Priamit,
flaka i daltë fundit të qiellit dhe oqeanit!

Ti je njomja e kullosa e brigjeve,
krejt lulet e bletët në shtatin tënd gjejnë atdhe.

Se ti je,
ndaj mbijnë zogjtë në qiell.

Veç ti u bën dritë hapave të mi
e shtëpive të peshqve,
atje ku flenë ëndrrat për shtegtim kundra rrjedhës.

E s'ka gjë pse
rrëzohen qershitë mbi bar,
yjet i fshijnë sytë mëngjeseve me brymë,
i mbërthen një e qarë.

Bie shi mbi lulet e diellit
e dorëzohen këngët e bilbilave të parë.

Ka një depo armësh e këngësh,
ti je roja e butë e të dyjave:
shpërthimi është i pashmangshëm!

S'ka mure,
që e ruajnë hingëllimën e një kali të trishtë,
bie loti yt në zall e ndez një yllësi,
ka etje
në hanë
e fruta për ketra
në lajthishtë.

Ti kujton që unë s'di emra të tjerë bimësh e brejtësish,
i di,
por kam një kod të vjetër me ketrat e frutat e tyre të çmuar:
çdo gjë që u rrëshqet nga duart,
vjen duke u afruar.

Ti edhe Zotit ia bën me hile:
njëzet e katër orë ndriçon për mua,
katundi miliarda banorësh
në hije,
qan në një krua.

Ti më bën të më marrë malli
për dimrin në mes të verës,
dua të t'i shoh faqet e skuqura,
jo veç prej puthjeve,
edhe prej erës.

Qesh Zoti,
ky këlysh i pakënaqur galaktikash,
e s'qesh kot:
të lindi ty, oqeanin e dritën në një ditë,

se e dinte që do t'vija drejt teje,
me vrap, fluturim ose me not.

Katundi miliardësh në hije,
i pikëlluar te një krua,
drerë të mërzitur kullosin rrezet e hënës,
shpërndarë nëpër bar,
njëzet e katër orë veç ti ndriçon për mua.

Nxjerr anijet nga pylli e nisem drejt teje!

11.
S'e besoja që një grua mund t'i kishte të dyja:
edhe borën, edhe diellin.
Ti i ke, fatalisht,
si natyra.
Ti je përjashtim,
je njëherësh të dyja.
Gra akulli
e gra flake kam pa,
si dy batalione armike;
Ti je një në krejt,
grua e përsosur në shtrat e në ballo,
në mbledhje e darkave me qirinj e tinguj xhazi.

Ti qesh,
e hijeshon mbrëmjen.
Ti zymtohesh,
e dielli heziton të dalë.
Nuk e di!
Të rri larg,
e them: sa mirë!
Por e gjej veten bosh,
gjithçka imja është nisur ndërkohë drejt teje;
e ke ti krejt qenien time,
unë mbaj veç lëvozhgën.
Pastaj ti ma kthen veten,

bashkë me tënden
e ribëhem!
E s'di si mund të mjeshtëroj më shumë,
sesa me të ra në gjunjë:
i vetmi akt mirënjohje ndaj një gruaje si ti!
Ah, harrova:
dua me t'i puthë gishtat e këmbëve,
me t'i lëpi,
më duket se s'të dua aq pa e bërë.
Mund të jetë pak gjë,
por mendja më rri,
janë gishtat ku fillon ti.

Kurrë një grua s'më ka rrëzuar,
duke më ngjitur kaq lart,
t'më puthë një grua si ti është mrekulli,
ma i fismi art.
Kur ndjej gugatjet e tua
e shoh se si kënaqesh,
s'kam nevojë për parashikimin e motit:
diell do ketë edhe për treqind vjet
e shi kur të mbjellim zogj,
e fluturime në qiell.

Flutura të dalin prej syve,
më mbyt me puthje,
të them:
ne jetojmë si lëvorja me trungun,
ti më mbështjell,
unë jam brenda teje.

Dua me t'humb
veç pak çaste në mjegull,
jo shumë,
as larg,
veç sa të ngazëllehem kur të të rigjej.
Nuk zgjat shumë kjo lojë,

74

se t'kam shpirt
e nga mungesa jote,
bluhem si në plojë.
Të lyp si i humbur,
me sy,
me gishta,
me nuhatje,
në gjunjë,
zvarrë,
duke vrapuar,
me krahët hapur...
S'më ndal dallga e tmerrshme e oqeanit,
as rrëzimi i gurëve
nëpër rrëgalla,
gjuha e flakës,
as dragonjtë në përralla...

Të dua!
Kjo është kryefjala!

Nxjerr anijet nga pylli e nisem drejt teje,
duke fërshëllyer motivin e kësaj kënge për ty,
kënga e këngëve të mia!

ELEANA ZHAKO

E kaltra e përtejme

Nisa ta shkundja fort me shpresën se do të jepte një regëtimë jete, por akullnaja po shtrihej në formë dredharake, duke mësyrë në çdo pjesë të trupit. Në njërën mollëz i kishte mbetur ende një rozë e mugët dhe qepallat e paqerpikta nuk i puthiteshin plotësisht, sikurse ai filli i hollë i dritës, që depërton përmes kontureve të një dere të mbyllur. Skena reale e zhgjëndrrës u kthye në ëndërr. Ai prehej mbi një shtrat të bardhë, por, në vend të kokës së zhveshur, rrethohej nga flokët e hirtë e të dendur, që kishte para kimioterapisë; para Kimioterapisë, para Krishtit, p. K e p. K, inicialet janë të njëjta, veçse në rastin e parë mjaftonin veç nëntë muaj dhe jo disa mijëvjeçarë për të shenjuar hapësirën kohore. Nuk ia kisha vënë ndonjëherë veshin mësimeve të ndihmës së shpejtë, por tani, në ëndërr, më duhej të zhbiroja çdo veti shëruese që zotëroja, për të ndarë dhunshëm ëndrrën nga zhgjëndrra.

Kur hapi sytë, një e kaltër e përtejme nisi të shpërndahej në gjithë hapësirën.

Amazona

Kur amazona nëntëdhjetëvjeçare nisi udhëtimin drejt galaktikave të eterta, ajo ndjeu njëfarë lehtësimi të çuditshëm. Evdhoksia - ishte emri i amazonës më të vjetër të familjes, që në gjuhën e hyjnive do të thotë 'Lavdi'; një amazonë e lavdishme përgjatë gjithë betejave jetësore. Askush s'trashëgoi aurën prej prijëse të lindur, shkëndijën luftarake, zemërimin mallkonjës dhe forcën e velave. Ikja e saj përbënte një çlirim tiranik, ku brenda jetës së vajzës së rritur i kishte humbur tërësisht vetitë e saj sunduese.

Ajo iu shfaq sërish në një peizazh ëndrre, vite më pas, teksa një shpurë dasmorësh e shoqëronte të renë drejt ceremonisë kremtuese. Një triko fëmijësh ishte hedhur mbi supet e zhveshura nusërore. Ndonëse ishte natë pa hënë, arriti të shquante shaminë e bardhë të së moshuarës, lidhur pas kokës, që lëshonte një dritë fosforeshente. I thërriti me çdo fuqi të mbetur, por ajo zvogëlohej, zvogëlohej, derisa u tret e tëra. Në ëndrrat e vona do t'i fanitej duke dhënë shpirt në shtrat, por nuk e dinte nëse këtë radhë do të ndërronte jetë për herë të dytë, të tretë, të shumëfishtë apo ende ishte duke dhënë.

Nuk e kishte puthur vërtetësisht ditën që amazona e saj e rreshkur u largua nga bota e saj vajzërore. Në atë kohë sapo kishte njohur puthjen e parë mishtore dhe gjithçka përreth pulsonte nga ndjesitë e prekjes së të rriturve, ku vdekja nuk mund të hynte brenda të çarëzës dashurore. Nuk i kishte dhënë puthjen solemne, ndaj dhe ajo s'mundej ende të vdiste; është një amazonë 126-vjeçare.

Arratisje

Tek kundronte një mace të arratisur mbi tarracën e lagësht të një ndërtese, ndërmendi se bota e florës dhe e faunës përbënte pjesën më të madhe të rrekjeve të saj letrare. Ndoshta ishte një lloj homazhi i pavetëdijshëm ndaj librit të parë enciklopedik mbi florën dhe faunën, dhuratë e të atit kur ishte nëntë vjeçe, që u shpuplua pamëshirshmërisht nga motra e vogël. Kushedi, macja që porsa pa, do t'ia kish mbathur nga ndonjë apartament përqark dhe pas pak ditësh mund të ndodhej edhe ajo në listën e kafshëve të kërkuara. Në rast humbjeje do të ishte dëshmitare e vendndodhjes dhe e orës kur u pa viktima potenciale. Nuk e kishte vënë re ndjeshmërinë zoofilike dhe botanofilike të shkrimeve të saj, derisa dikush, me ton hokatar, e pagëzoi me titullin e shkrueses florale.

Bota e njerëzve kishte filluar të tkurrej gjithnjë e më tepër brenda saj dhe si një ikanake e vërtetë kërkonte ndjesinë e bukurisë në një harmoni thuajse të vuvët, larg sistemit fonetik njerëzor.

MONZER AL MASRI

Unë dhe ti jemi dy njerëz të ndryshëm

Unë dhe ti jemi dy njerëz të ndryshëm.
Ti preferon verën,
stinën e diellit zhuritës
dhe të detit.
Kurse unë preferoj vjeshtën,
stinën e transformimit të gjetheve në flutura,
që vallëzojnë teksa bien të vdekura
trotuareve.

Unë dhe ti jemi dy njerëz të ndryshëm.
Ti pëlqen notin plazheve shkëmbore,
kurse unë pëlqej notin plazheve ranore.

Unë dhe ti jemi dy njerëz të ndryshëm.
Ty të pëlqejnë pamjet në hapësirë
dhe shëtitjet në natyrë,
kurse unë kam lindur të endem si bohem,
të kundroj vitrinat e dyqaneve
dhe të ulem vetëm në kafene.

Unë dhe ti jemi dy njerëz të ndryshëm.
Ty të pëlqen kripa,
me të cilën spërkat ushqimin e servirur,
akoma pa e provuar shijen e tij.
Sakaq, unë nuk ngrihem dot nga sofra
pa i kollofitur nja dy llokma ëmbëlsirë.

Unë dhe ti jemi dy njerëz të ndryshëm.
Ti i përket kafesë kolumbiane,
kurse unë i përkas çajit të Sri Lankës.

Unë dhe ti jemi dy njerëz të ndryshëm.

Ty të pëlqejnë veshjet e lehta shumëngjyrëshe,
kurse unë, sa herë mërzitem nga veshjet gri,
vesh ato të zezat.

Unë dhe ti jemi dy njerëz të ndryshëm.
Ti i urren kafazet dhe bravat,
kurse unë s'bëj dot pa shpirtin e qashtër
të kyçur në kafaz.

Unë dhe ti jemi dy njerëz të ndryshëm.
Ti beson se dashuria është liri me flatra,
kurse unë besoj të kundërtën,
se dashuria është besë dhe përkushtim.
Shpesh më thua se s'kam dashur grua në gjithë jetën time,
edhe pse kam shkruar shumë poezi,
që gëlojnë pasion,
dhe duket qartë se jam dhënë pas shumë grash.

Unë dhe ti jemi dy njerëz të ndryshëm.
Unë preferoj të jesh me mua,
kurse ti mendon për dikë tjetër.
Ti preferon që unë të shkoj me një grua tjetër,
kurse unë mendoj për ty.

Unë dhe ti jemi dy njerëz të ndryshëm.
Ti pëlqen macet
dhe s'e ke problem ta marrësh një mace të verbër që endet
rrugëve
e të kujdesesh për të në shtëpinë tënde.
Sakaq unë jam i dhënë pas qenve,
të mëdhenj qofshin apo kone,
edhe pse po i afrohem vdekjes,
pa pasur kurrë një qen timin.

Unë dhe ti jemi dy njerëz të ndryshëm.
Dhe mund të të them që:
për të mbërritur tek ti,

do ndiqja një shteg shumë të gjatë,
ndërsa ti kërcënon:
nëse vjen vonë, qoftë dhe një minutë,
më lejohet të endem pazarit, duke të pritur,
e të blej ç'të dua nga llogaria jote.

Unë dhe ti jemi dy njerëz të ndryshëm.
Ty të pëlqen udhëtimi
dhe qëndrimin në një vend e konsideron
përgatitje për të zbritur një shkallë drejt varrit.
Kurse unë përsëris thënien e Gëtes:
Çfarë dobie ka të udhëtosh,
nëse i njëjti qiell është mbi kokat tona kudo?

Unë dhe ti jemi dy njerëz të ndryshëm.
Ty të pëlqejnë mollët e kuqe dhe të forta,
kurse mua mollët e bardha dhe të buta.

Unë dhe ti jemi dy njerëz të ndryshëm.
Ty të pëlqejnë burrat dhe i urren gratë,
përveç nënës dhe motrës tënde,
kurse unë i pëlqej të gjitha gratë
dhe nuk krijoj miqësi me burrat,
veçse për faktin që jam një prej tyre.

Unë dhe ti jemi dy njerëz të ndryshëm.
Kur unë të them se i dua të vobektit dhe nevojtarët,
ti ma kthen:
Nëse i do me të vërtetë,
përse nuk bëhesh një prej tyre?

Unë dhe ti jemi dy njerëz të ndryshëm.
Sigurohem që pikturat e mia t'i rrethoj me korniza të zeza,
sepse, sipas meje, kjo u fal atyre trishtim,
kurse ti, sa herë të dhuroj një pikturë mbi letër,
e ngjit në mur me mastiç
dhe s'ka burrë ta shqisë,

veçse duke e grisur.

Unë dhe ti jemi dy njerëz të ndryshëm.
Kur unë të them:
të mirat i fshijnë të këqijat,
ti ma kthen:
Një e keqe i fshin gjithë të mirat.

Unë dhe ti jemi dy njerëz të ndryshëm.
Ti beson se qëllimi e justifikon mjetin,
kurse unë besoj se qëllimet sublime
nuk arrihen veçse me mjete sublime.
"Sublimet e skllevërve", tallesh ti.

Unë dhe ti jemi dy njerëz të ndryshëm.
Unë deklaroj se revolucioni bëhet për njerëzit,
kurse ti deklaron se:
Njerëzit,
kafshët,
engjëjt,
xhindet
dhe djajtë,
të gjithë
janë në shërbim të revolucionit...

Nëse do më duhet të zgjedh një zot

Nëse do më duhet të zgjedh një zot,
për ta adhuruar dhe për t'i shërbyer,
do zgjedh Zotin e gjyshes sime,
të cilin e dërgonte me mua kudo shkoja,
i kërkonte të më mbronte
dhe të më shoqëronin njerëz
më të dhembshur se ajo.
Ky është Zoti im.

Dikur kam adhuruar zjarrin,
dikur adhurova një idhull,
një ditë adhurova një lider politik,
një ditë tjetër adhurova një grua
e një herë tjetër nuk adhurova
askënd.
Në fund nuk pata zgjidhje tjetër veçse të bindesha,
kur më tha gjyshja:
Më mirë që
jetën ta kesh në duart e Zotit,
sesa në duart e njerëzve.

Zoti i gjyshes sime është Zoti im,
i asaj që sa herë që më servirte
një shegë të ëmbël,
më porosiste që mos hidhja
as dhe një farë të vetme përtokë,
sepse Zoti, në çdo kokërr shege,
ka vënë një farë nga shegët e parajsës.

Kur daja i mblodhi eshtrat e gjyshit tim,
në një qese plastike transparente,
dallova një kafkë të vogël,
të ngjashme me të një fëmije,
rrethuar nga eshtra të zeza të thyera.
Ai i transferoi me motorin e tij,
nga varreza lindore,
ku u ndërtua një stacion treni,
drejt varrit të ri.
Atëbotë, gjyshja tha:
Qenka thënë,
që i vdekur të hipë në motor,
pas njërit prej fëmijëve.

Zoti im është Ai që,
nëse mëkaton një herë, dy e tre,
madje nëse e kalon gjithë jetën mes mëkatesh,

dhe në çastin e fundit,
atëherë kur s'të ka mbetur asnjë shans për të mëkatuar,
pendohesh dhe kërkon falje,
Ai të pranon.

Ai që na krijoi pa ndonjë interes,
veçse për t'u dashur
dhe si çdo i dashur tjetër i vërtetë
na kushtëzoi,
që dashurinë për të mos e ndajmë me askënd tjetër.

Sa herë që gjyshja lexonte Librin e Tij,
murmuriste me vete
pasazhet që kishte mësuar përmendësh
e Ai e dëgjonte dhe gëzonte.

Një herë i thashë: E di ti gjyshe,
që dy të tretat e trupit të njeriut
janë ujë?
Ajo m'u përgjigj:
Jo, dy të tretat e tij janë
lot...

Motra e tij, ndjenja

E kaloi jetën
në luftëra që nuk reshtnin,
mes nënës së tij, instinktet
dhe babait, moralit.

Para se të vdiste,
të gjithë u befasuan,
kur u rrëfeu,
se ajo që e kishte vrarë,
ishte motra, ndjenjë.

Ti je miku im

Ti je miku im
sa herë që i thërras miqtë
e askush nuk përgjigjet.
Ti je miku im
sa herë që shkoj tek të gjithë miqtë
e duke mos gjetur kënd
të pikas ty rrugës drejt meje
ose duke më pritur
përballë shtëpisë time.
Ti je miku im
kur s'më zë besë askush
kur fjalëve të mia s'ua vënë veshin
kur sokëllij sa mundem
e s'më dëgjon njeri.
Ti je miku im
kur broçkullis, sepse asgjë s'di.

Zbrazëtinë tënde e pushton ajri im

Kam nevojë që adresat ku shkon
mos të ndryshojnë,
asnjëra prej tyre të mos shkojë tek tjetra
gjatë pritjes time.

Kam nevojë që brava e portës tënde
të hapet rastësisht
me çelësin tim.
Të hyj brenda pa u kthyer
majtas e djathtas,
duke pretenduar që jam
një nga banorët e shtëpisë.

Kanapeja e gjerë,
që përshtatet

si shtrat,
me një lëvizje të vetme,
kur të pushton dëshira.
Dritarja me grila druri
dhe bravat e ndryshkura
të marrin shumë kohë
teksa i kyç,
gjizbuluar.

Në vazo
ti vë
çdo gjë tjetër
përveç luleve,
sepse kurrë s'të kam sjellë lule.

Nga fotografia
s'të njeh askush,
sepse në çdo foto
dukesh
si një grua tjetër.

Zbrazëtinë tënde
e mbush
vetëm ajri im.

Mbi faqen time të majtë,
janë stampuar pesë nishane,
kjo do të thotë se do të vdes
pas pesë sinjalesh.
Kështu më tha
pasqyra jote.

Më duhet lavamani yt,
të laj duart me ujë e sapun,
shtatë herë,
para se të më lejohet
të prek kurmin tënd

e të laj këmbët
me ujë të ftohtë,
sa herë që plandosem për gjumë
mbi shtratin tënd.
Kjo më lumturon
dhe më zgjat jetën.
Kurse ti më the
se kjo ruan të pastër
edhe çarçafët e tu.

Ma jep peshqirin
ta kaloj mes kofshëve të tua
dhe gjatë habisë tënde
të thaj
fytyrën time.

Më lipset pema e fikut tënd,
shtathedhur dhe plot fruta,
në vazon e shkujdesjes
t'i përvishem
me buzët e mia
e të vjel
qumështin tënd.

Përktheu: Elmaz Fida

Monzer Masri është poet dhe piktor sirian, autor i 20 librave me poezi, artikuj dhe biografi. Konsiderohet si një nga përfaqësuesit e poezisë moderne siriane dhe një nga pesë poetët më të shquar sirianë, të cilët i ka përfshirë antologjia e poezisë arabe e kohëve moderne, botuar në gjuhën gjermane, në vitin 2000.

GRANIT ZELA

Koka e gjarprit mbi gjoks

Ditën kur linda, ishte e shtuna e një shkurti të akullt dimri, ora gjashtë e pasdites. Erdha në këtë botë në odën e vogël të një shtëpie shumë të vjetër, nga dritarja e së cilës, në manin përballë, më vonë do të shihja të shtrirë gjerë e gjatë një gjarpër, që, sipas lokes sime, ishte rojtari i shtëpisë. Lokja thoshte se në lindjen time e kishte ndihmuar edhe Sheh Dauti, që kishte një teqe për të cilën kishte dhënë prova. Ajo rridhte nga fisi i tij dhe i ishte lutur që të vija në këtë botë me këmbë e me duar, të mos isha sakat.

Një ditë, edhe pse fshatin e kishte mbuluar bora, dhe rrugët ishin të rrëshqitshme, sidomos në mëngjes prej ngricës, lokja i kishte kërkuar leje gjyshit për të shkuar te teqeja e Sheh Dautit, që të linte diçka te varret e mira e t'u lutej që nusja e Forcimit, tim ati, të kishte lindje të mbarë të djalit. Gjyshi e kishte parë me qesëndi dhe i kishte thënë:

"Merr një djalë me veti e shko kur të dush, por një gjë s'e mora vesh, se e ka djalë kush të tha ty? S'e di ajo që e ka në bark se çfarë e ka dhe e ditke ti!".

"E di, se e kam pa n'andërr", ia kishte kthyer lokja dhe kishte ikur në teqe, te varret e mira të bablokëve. Sheh Dauti kishte dhënë prova si sheh i fortë. Ai kishte ndalur zhurmën e Drinit të Zi, kurse shehlerët e tjerë kishin mbajtur prush në shami pa u djegë shamia, kishin shterur ujin e puseve ose e kishin ngjitë përpjetë derisa ishte derdhë në grykë si krua. Lokja thoshte se Sheh Dauti kishte lëvizur prej vendi shtratin e një lumi, por ajo kishte pasur frikë për atë që duhej të bënte pas lindjes sime, të ma priste kërthizën me brisk!

Edhe nëna ime kishte marrë të gjitha masat e nevojshme që të lindja shëndosh. Edhe pse ishte me barrë, ajo kishte vrarë një gjarpër jashtë shtëpisë dhe kokën e tij e mbante të fshehur midis gjinjve. Ajo nuk e prekte gjarprin e shtëpisë në man, edhe pse kishte frikë se ndonjë ditë mund të më hynte në odë, por gjarpërinjtë e tjerë po, se me kokat e tyre mbronte veten dhe barrën nga magjia. Ishte zgjuar në mëngjes, me barkun e fryrë, për të vijuar ritualin e përditshëm të punëve të shtëpisë, si nusja e djalit të madh të një shtëpie me gjashtë vëllezër dhe dy motra, por, kur kishte çarë dru në oborr, kishte menduar të më mbronte mua, ndaj dhe drurët i kishte këqyrur me kujdes para se me i pre, se mos kishte futur në to ndokush ndonjë lëmsh penjsh të kuq. Sherja, gruaja e kushëririt tonë, Seferit, dihej se ishte magjitore, u bënte keq njerëzve dhe bagëtive vetëm me të pame. Nëna dhe lokja e merrnin me të mirë Sheren me sy të këqij dhe fytyrë thatanike, me mollëza të dala dhe trupin gjithë kocka, a thua se nuk ushqehej fare, ndërkohë që ime më dhe lokja i jepnin shpesh të hante. Ato nuk ia ndanin sytë lëvizjeve të syve dhe gjymtyrëve të saj: ku shihte, çfarë prekte.

Asnjë pe i kuq nuk kishte gjetur nëna në turrën e druve. Kur kishte ndezur sobën, e kishte trazuar mirë hirin dhe ishte e sigurt se atë ditë s'kishte gjetur asnjë tub të dyshimtë leckash të futura fshehurazi në hi. Pasi i kishte bërë kafen babait dhe gjyshit e kishte larë mirë e mirë ibrikun e kafesë, kishte fshirë odat e pashtruara. Pasdite kishte marrë një bri, një fuçi e rrumbullakët druri e shtrënguar me rrathë metali, të cilën ajo e lidhte me tërkuzë në shpinë kur ulej në gjunjë, pastaj e ndihte një grua tjetër a fëmijë të ngrihej në këmbë, dhe me të në shpinë shkonte të mbushte ujë në anën tjetër të luginës, anash së cilës ishte shtëpia jonë. Pastaj prej atje, dalëngadalë, me njëzetë kile ujë në shpinë, ajo kishte ngjitur maloren në shpat, nëpër një rrugë, deri në krye. Sapo e kishte lëshuar brinë përtokë, kishte nisur t'i dhimbte barku. Kishte vajtur menjëherë brenda, te dhoma e madhe ku zakonisht flinin të pamartuarit, dhe i kishte thënë lokes:

"Oj nanë, hajde shpejt se erdhi koha!".

Kishte ikur menjëherë në odën e vogël, ku kishte mbyllur perden, kishte vënë në sobë një çajnik me ujë, ku kishte futur një brisk rroje, me të cilin lokja duhej të provonte tmerrin më të madh të jetës së saj: të më priste me brisk kërthizën. Pastaj kishte shtruar menjëherë një batanije përtokë dhe një plaf të hollë të bardhë përsipër dhe ishte shtrirë, pasi i kishte bërë të gjitha gati, se e dinte që lokja ime prekej shumë. Lokja kishte nisur menjëherë të shqetësohej, ngaqë nuk e dinte nëse do të gjente guximin të më priste kërthizën, madje kishte nisur të qante:

"Nuk ja pres dot", thoshte, "më rrëqethet trupi, o e njera unë" (ajo e shqiptonte me "n"). Kishte nisur t'u lutej me zë të lartë bablokëve, engjëjve të teqes ku ajo ishte falur kur kishte qenë vajzë, "hej, Zot i madh e bablokë!".

Duke më lindur, nëna ime i kishte treguar si ta bënte.

"Është shumë e lehtë", i kishte thënë, "a mos do ta bëj unë? Thjesht e dezinfekton briskun në ujë të vluar, e zgjat kërthizën, e lidh nyjë afër barkut, por jo ngjitur, e pret dhe kaq", por s'i dukej kaq e lehtë lokes se.

"Eh, e njera unë, si t'ia bëj këtë djalit!".

Udhëzimet e nënës ishin të përpikta, lokja nxori briskun nga uji që vlonte dhe me ndihmën e të madhit Zot dhe bablokëve ma preu, ma lidhi kërthizën dhe kur infermierja erdhi, gjithçka kishte përfunduar. Unë kisha ardhur në jetë te oda e vogël, në mes të shtëpisë së gjatë, të vjetër, ku jetonin im at dhe ime më, bashkë me tre vëllezërit e mi më të mëdhenj dhe tani edhe me mua. Aty kishte një krevat të madh bashkëshortor, sënduk të madh anash tij, një komodinë, hapësirën për shekat, disa enë druri të rrumbullakëta, që rrinin pingul (jo si brija në shpinën e nënës time), që përdoreshin për të mbajtur qumësht, djathë, turshi ose rrush. Nga dritarja e vogël me hekura, me pamje nga oborri, dukej trungu i madh i manit të bardhë dhe degët gjigante, që zgjateshin deri mbi çati. Prej aty, shpesh shihja në trungun e manit një gjarpër më të gjatë se një metër. Shtrihej aty, si duket për të fjetur, dhe bëhej njësh me trungun. Unë e shihja shumë mirë, por, siç duket, nuk e shihnin të tjerët, kurse ai nuk trazonte askënd.

Më mbështollën me pelena të bardha dhe më shtrinë në shtrat. Nëna me loken siguroheshin që të isha sa më i mbuluar, jo se infermierja ishte sykeqe, por nga çasti në çast mund t'ia behte Shere magjitorja, për të na uruar, sigurisht, shumë e gëzuar që nuk kisha lindur sakat, por jeta ime ishte në rrezik nga sytë e saj. Kur ajo erdhi, nëna dhe lokja i ndenjën te kryet dhe gati me urdhër nuk e di se sa herë i kishin thënë: "Bëja marshallah! Bëja marshallah!", por nuk dihej se sa fort i kishte shqiptuar fjalët magjitorja kur kishte thënë "marshallah", sepse, kur ajo iku, nëna kuptoi se nuk kishte qumësht. Gjirin e kishte hem të fryrë e hem të tharë, por lokja i dha me pi nga një shishe me ujë të mirë nga teqja e Sheh Dautit dhe, pas kësaj, qumështi i erdhi menjëherë. Nuk ishte nevoja që nëna të ngrihej që me natë (para se të ngrihej qoftëlargu) dhe të shkonte t'i lagte gjinjtë me ujin e mullirit në krye të fshatit. Pija qumësht derisa ngihesha, flija shumë gjumë, qaja rrallë, edhe pse djepin tim e linin në odë dhe harroheshin pas punëve që nuk sosnin të një shtëpie të madhe.

Një ditë, djepin tim e kishin lënë te oda e madhe e miqve, ngjitur me timen. Aty dyshemeja ishte e shtruar me dërrasa dhe qilima. Jashtë në oborr ishte një man i madh i zi, prej degëve të të cilit mund të shihje nga dritaret djepin. Atë ditë, kur ime më kishte zgjatur kryet në dritare, para se të hynte brenda, kishte parë te dera një gjarpër. Pikërisht atë gjarpër, që më vonë unë do ta shihja nga dritarja e odës sime të vogël në trungun e manit të bardhë. Fytyra e saj ishte bërë e bardhë si gëlqere. "Oh, nanë" kishte klithur mbyturazi dhe kishte vajtur të thërriste loken. Të dyja kishin rendur te oda e miqve.

Nëna kishte marrë një sakicë në dorë dhe hyri brenda bashkë me loken. Gjarpri kishte rrëshqitur në cep të odës, nëna dhe lokja i kishin dalë nga cepi tjetër. Djepi im kishte qenë në mes. Fëmijët, nga mani, kishin parë gjithçka (ata më vonë do të tregonin se gjarpri kishte rrëshqitur afër djepit tim, ishte ndalur aty, kishte hipur në djep dhe pa më prekur kishte shkuar në cep të odës). Dhe megjithëse nëna kishte dashur të shkonte në cepin tjetër dhe ta priste gjarprin, lokja e kishte ndalur:

"Mos, oj nuse, se nuk është gjarpër, por meleqe (engjëll), mos e ngacmo dhe s'të ngacmon!".

Lokja kishte thënë një lutje që gjarpri nga cepi i shtëpisë

të dilte anash, pa më zgjuar mua, nga dera të merrte poshtë nga dera e pasme, jo andej nga ishin fëmijët në man, se do të trembeshin, dhe të shkonte pa i bërë dëm kujt te shpella poshtë kepave të shtëpisë tonë. Gjarpri kishte bërë siç i kishte thënë lokja, kurse nëna më pas kishte thënë se dikush e kishte ndalur mos ta mbyste, duart i kishte pasur të ngrira dhe tri herë që kishte dashur të merrte turr drejt tij, i ishte dukur sikur e kishin lidhur me tërkuzë.

Përveç këtij episodi, jeta ime si foshnjë ka qenë e zakonshme. Rreth moshës pesëvjeçare, mbaj mend se mblidheshin i madh e i vogël në shtratin e madh të odës sime të vogël, ku më gjenin lakuriq dhe qeshnin të ngazëllyer me mua, ngaqë kur ecja binte në sy që i kisha bolet e mëdha. Madje njëra bole ishte sa një ftua i vogël, që më lëkundej mes shalëve dhe unë nuk e dija se kështu ndodhte vetëm me mua. Kujtoja se ashtu i kishin të gjithë fëmijët. E kështu qeshnin të rriturit me mua, derisa u dilnin lot prej syve. Mirëpo periudha e ngazëllimit po merrte fund ndërsa rritesha. Gjyshi kishte thënë se kur të bëhesha për shkollë, do ta kisha të vështirë të shkoja me gjithë ato bole, ndaj babai kishte folur me një doktor dhe do të më operonte në spital.

Kisha zbuluar se dimrat në fshatin tim të lindjes ishin shumë të ftohtë për mua. Sëmuresha shpejt dimrave, isha i pari në fis që sëmurej, isha, si të thuash, lajmëtar i ardhjes së të ftohtit. Infermiere Fasha vinte e më shihte, po s'mbaj mend të më ketë dhënë barna. Ato zëvendësoheshin nga bimët shëruese dhe ilaçet që përgatiste me kujdes lokja bashkë me lutjet përkatëse, që të rritej e të bëhej div Luani (pra unë), por trupi nuk po më shëndoshej më. Përkundrazi, po më ligështohej dhe mes këmbëve, mbi organet gjenitale, tani më doli një problem tjetër: një lungë, e cila u fry dhe më shqetësonte kur ecja. Te dora e djathtë, në tre gishtat e mesëm, më dolën disa lytha që më bezdisnin. Nuk më dhimbnin, por u binin në sy bashkëmoshatarëve të mi, të cilëve u dukeshin të neveritshëm. Thoshin se kur dikë e zë sëmundja e tokës dhe ai t'i shkel të dyja këmbët, sëmundja e tokës kalon nga ai tek ti, prandaj edhe shokët s'ma jepnin më dorën nga frika se lythat kalonin nga gishtat e mi te gishtat e tyre. Në fytyrë m'u shfaqën disa nishane. Pastaj ato u zhdukën nga fytyra dhe më dolën në trup.

Për lungën më çuan te një grua, që e kishte shtëpinë në fillim të fshatit. E thërrisnin Dada e Mirë; një plakë, që e gjetëm në ahurin e lopëve. Doli gjithë gëzim, lau duart me sapun, më futi në vathë, më uli pak pantallonat dhe mbi lungë vendosi një lugë gjelle. Tha disa fjalë, që, megjithëse u përpoqa t'i dëgjoj, nuk arrita të marr vesh asgjë, se i tha me zë shumë të ulët. Pastaj lau përsëri duart me sapun. Nëna i dha një triko leshi, që e kishte thurur vetë. Për lythat e dorës e porositi të merrte aq penj sa lytha kisha, ta prisja pak secilin lyth, ta lyeja me gjak secilin pe dhe t'i hidhja penjtë në ujë. Kur të kalbeshin penjtë, do të më hiqeshin lythat, kurse lunga do të hiqej brenda një jave, sikundër edhe ndodhi. Për të mos më marrë mësysh, ajo i tha që njërin kokë gjarpri, që ime më kishte fshehur në gjinj, të ma vinte mua në gjoks. E tha duke e parë në sy.

"Ku e di ti se kam koka gjarpri nën rroba?" e pyeti nëna.

"Unë i shoh të gjitha ato që ke në trup", i tha Dada e Mirë. "Ke dy koka gjarpri, por njëri është i këtij djali. Kur të bëhet shtatë vjeç, duhet t'ia japësh".

Nëna u çudit dhe u gëzua shumë që Dada e Mirë kishte thënë se do të shërohesha. Atë natë gatoi petulla për darkë dhe pas një muaji u çuam herët dhe bashkë me babain më çuan te spitali në qytet, ku më shtrinë në një barelë që të më bënin operacion. Në korridor më zuri syri një burrë, që ecte duke folur me vete. Ishte hera e parë që shihja dikë të fliste me vete në publik (në odën time e kisha bërë zakon të flisja me vete), por ai ecte duke folur dhe duke tundur kokën sa majtas, sa djathtas. I pyeta prindërit se kush ishte ky njeri. "Oh, ai është doktori që do të bëjë operacion ty", më thanë të dy të gëzuar dhe gjithë respekt për doktorin. "E ka zakon që flet me vete, por është doktori më i mirë që kemi pasur ndonjëherë". U habita që dikush që më ishte dukur si i lojtur nga trutë, do të më bënte operacion. Kur isha shtrirë në barelë, ai erdhi dhe u sqaroi infermiereve procedurat dhe masën e narkozës që duhej

93

të më hidhnin që të bija në gjumë dhe të mos ndieja asgjë. Kur ma vunë narkozën, infermieret më thanë të numëroja deri në njëqind dhe unë nisa numërimin me mendje, por para se narkoza të jepte efektin, i dhashë kokës anash, duke hedhur vështrimin nga dritarja e asaj salle me pamje nga kopshti i pasëm i spitalit. Në xhama m'u bë se pashë, jo, jo, e pashë fort mirë, një gjarpër. Po ai gjarpër që kisha parë në man të bardhë, po ai që kishte hyrë në odën e madhe të miqve. Dhe mu atë grimëçast pata vizione të ndryshme: toka ishte e mbuluar e gjitha nga uji, njerëzit dhe kafshët flisnin me njëri tjetrin, në lagjen time në fshat pashë disa gra si Dada e Mirë, që po më mësonin se si ta parashikoja të ardhmen, unë isha bërë Sheh dhe para gjithë fshatit tim po jepja prova: e shtera në vend ujin e Drinit të Zi, pastaj e lëshova prapë duke e mbushur plot me peshq, drejt të cilëve njerëzit u vërsulën me kova dhe ç'tu kapte dora. Mandej i përkula të gjitha pemët në Malin e Gjalicës, edhe pse atë natë nuk ishte Novruzi dhe nuk ishte koha kur pemët duhej të faleshin; njerëzit më ngritën një teqe, për të cilën betoheshin, mbajta prush në dorë dhe nuk m'u dogj, hyra mes flakëve dhe ato u shuan, mora një shufër hekuri dhe e kalova mes për mes trupit tim, gjeta të gjithë të mbyturit në Drin, që nuk i kishin gjetur kurrë, gjuante rrufeja në mua dhe s'më gjente gjë, shpëtova nga çmendja një fshat, uji i përroit të të cilit derdhej vrullshëm bashkë me një britmë rrëqethëse gruaje, pastaj pashë ujë, ujë, një ujnajë të madhe, që përmbyste fshatra, toka, varre, një tokë që thirrej "Kukësi i vjetër", pashë eshtrat e gjyshërve të shenjtë, që s'e duronin dot mbytjen dhe ktheheshin në yje, disa dervishë që po vareshin nga disa njerëz me uniformë dhe pushkë në krah, një yll i kuq me pesë cepa, një kulshedër me pesë kokë, një kalë me tre krena, një njeri me dhjetë duar, një pëllumb me sy të qorruar dhe një korb me pesë sqepa, një njeri me zjarr nën sqetull, një tjetër që bëhej ujk, një grua që bëhej nuselale, një vëlla që kuvendonte me Dreqin dhe të Birin, Sherja magjitore që dilte lakuriq natën dhe milte hënën, xhinde që u binin lodrave aq sa tundej dheu, zanat e Gjalicës, cuca me bukuri të rrallë, që përziheshin me njerëz dhe martoheshin me ta, një mallkim "kurrë gjashtë shpi mos u bëfsh!", dy vëllezër me kosa në duar dhe Dreqin që qeshte vesh më vesh, dy gjarpërinj gjigantë, njëri i bardhë e tjetri i zi, që e mbështillnin anës e anës malin e Gjalicës, dhjetëra shtëpi, prej mureve të të cilave dilnin minj dhe një sheh që i komandonte minjtë, i bënte të kërcenin dhe të hynin në plasat e mureve prej nga kishin dalë, gurgullimën e shenjtë të një kroi në majën e malit të Gjalicës, drejt të cilit varganë të gjatë me njerëz shkonin të gjenin shërim, pashë nënën që më priste ndanë shtratit që të zgjohesha dhe kur të mbushja shtatë vjeç të më vinte kokën e gjarprit në gjoks.

E dija, ishte lokja që ishte ngritur herët në mëngjes (pa u ngritur qoftëlargu) dhe ishte lutur për mua, kurse gjarprit i kishte thënë të mos më linte vetëm askund, të shkonte ku të shkoja unë. Sakaq, kur efekti i narkozës kishte filluar të ndihej në tru, kur po bija në një gjumë të ëmbël dhe të paqtë, si gjumë i përjetshëm, pamja e gjarprit në xhamin e spitalit më dha një fuqi tjetër, një siguri që, edhe nëse ai gjumë ishte gjumë vdekjeje, prej lutjeve të nënës, lokes dhe me ndihmën e teqesë së Sheh Dautit, për mua do të kishte zgjim që t'i shihja edhe një herë të gjitha ato që sapo kisha parë.

SADIK BEJKO

Terri më i madh është ai brenda vetes... Unë e munda!

Duhet ta hash varrin tënd përpara se të të hajë!

Intervistoi Arbër Ahmetaj

Intervistuesi: *Zoti Bejko, do flasim për poezinë e le t'ia nisim nga "Rrënjët": si u shkruajt, si u prit dhe çfarë ndodhi?*

Sadik Bejko: "Rrënjët" është një libër që më shkau duarsh, si ai fëmija që i shket gruas për shalësh dhe lind. Ashtu si me kohën, të gjithëve na shket për duarsh jeta dhe na hedh përtej. Pra, ishte një libër jo i planifikuar: erdhi vetë, u mbars brenda meje dhe lindi. Te kjo natyrshmëri është veçantia e tij. Dy libra para tij m'i kishin hedhur në kosh. Isha autor jo lehtësisht i pranueshëm për botim. Ndërkohë, ato pak poezi që i kisha botuar në gazeta, nuk kishin kaluar pa vëmendje. Ishin lexuar dhe "arshivuar" në mendje tek të tjerët, të interesuar për poezinë, te bashkëkohësit. Unë nuk shkruaja as për para, as për të qenë i pëlqyer nga shefat...

Libri "Rrënjët" u prit më mirë seç e pandehja. Poezitë e tij lexohen dhe sot, këtu e pesëdhjetë vjet. Është nga të rrallët libra nga ajo kohë që mund ta botosh në 80-90 për qind të numrit të poezive. Ka njerëz që edhe sot më njohin nga ai libër, i cili vërtet u ndalua zyrtarisht, por atë "e vodhi shpirti i kombit", po të huazoj një shprehje të Migjenit. Dhjetë vjet unë heshta, se më vunë tapën në fyt; të mos shkruaj, të mos jem në poezi... dhe ai libër më shpëtoi nderin. Më mbajti gjallë. "Ti je autori i 'Rrënjëve'", më thoshin mësues fshatrash, lexues të panjohur të poezisë në fshat a në qytet. Më shtangte kjo që libri im nuk harrohej.

Tani pyes: Ia dha librit "Rrënjët" ndëshkimi im me minierë

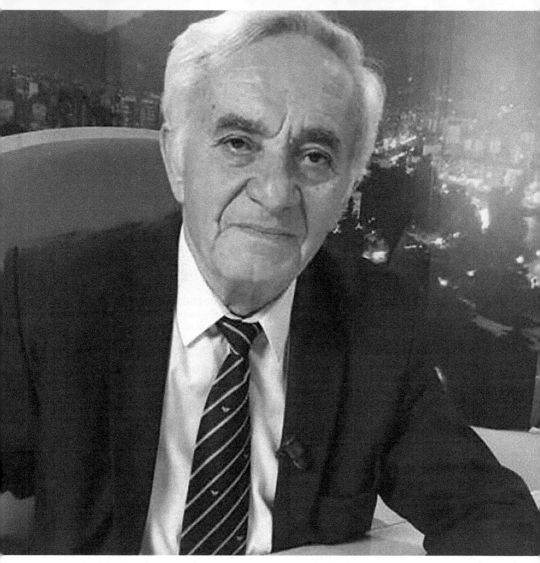

këtë vëmendje, apo ai libër po i kundërvihej ndëshkimit tim me heshtje, për të më sjellë prapë e prapë në jetë?

Intervistuesi: *Ali Podrimja, kur flet për poezinë tuaj, thotë diku: "Ai dëshiron të na bindë se fjala shqipe mund të bëjë mrekullira në dorën e mjeshtrit". Më lejoni t'i kthehem një aspekti specifik, marrëdhënieve të poetit me gjuhën, me sintaksën...*

Sadik Bejko: Ky është një aspekt i veçantë në zërin tim poetik. Nuk desha të jem zbatues i praktikave të njohura poetike... të punoj si në punën me parafabrikate të metrave dhe të teknikave ritmike tradicionale. Iu afrova poezisë

97

me një dëshirë për ta zhveshur nga të qenit jashtësisht e bukur. Kjo edhe se nuk iu druajta as shkrimit të përvojave poetikisht jo të bukura. Shkrova për dëshpërimin, pikëllimin, humbjen, zhgënjimin. Përleshjen me fatin e me veten. Tema që nuk e duronin tingëllimin e bukur. Zgjodha shpesh të jem i fjalës së vrazhdë. I murrët, i hidhur. Si jeta. Këtu edhe të shprehurit, ndërtimi sintaksor kërcisnin nga ai tonalitet poetik tradicional... donin një kapërthim, brafullim tjetër, që e kam dashur, synuar e s'di sa herë e kam arritur.

Intervistuesi: Poezia, si rrallë tjetër art i shkrimit, ka një lidhje të çuditshme me zërin. A e ndjeni ju këtë lidhje, jehonën e zërit të brendshëm, që sendërtohet në verb, për t'u shqiptuar me zërin e jashtëm? Nëse po, si?

Sadik Bejko: Nëse nuk ke një zë të brendshëm, me të cilin hahesh dhe grindesh ndonjëherë, mbërthehesh fyt për fyt, poezia do të ishte pa dramacitet, e rrafshët, e shkretë. Ka zëra dhe zëra... fëmijërisht është ai më i thelli. Zëri yt i pashembullt me asnjë në jetë. Shekspiri, me monologun "Të rrosh a të mos rrosh...", ndër të tjera na thotë se zëri ynë i brendshëm është i gjallë e asnjëherë nuk rresht. Duhet të dimë ta dëgjojmë. Zëri i parë është uni i përjetshëm i poezisë lirike. Zëri i dytë, ne, është kur poeti flet në emër të një komuniteti... poetët korifenj të popujve, poetët e angazhuar të ideve kolektive. Veta e tretë është cilësi e prozës, por edhe kur poetët e spostojnë unin e tyre te një zë i tretë, që thëniet e tyre të marrin më shumë thellësi, jo atë ndjeshmëri të drejtpërdrejtë të zërit të parë. Kjo është punë e përvojave, e përpunimit të teknikave poetike.

Intervistuesi: Poetët u ngjajnë shpesh fëmijëve, kuriozitetit dhe naivitetit të tyre. Nëse ndodh që kjo nuk duket shpesh nga jashtë, ju vetë a bëni përpjekje për ta mbajtur gjallë e për ta përkëdhelur fëmijën brenda jush, për ta ruajtur nga ashpërsia e jashtme e botës...?

Sadik Bejko: Në shekullin njëzet, shumë poetë i dërguan në miniera, në ishuj të thatë pa ujë... i vranë, si Lorkën në Granadën e tij... Pra, poetë të majtë apo të djathtë... Fakti që ata vazhduan të jenë poetë, të shkruajnë për anën e tyre më të brishtë, të mbajnë në sy tejqyrën e fëmijës edhe nën pamjet e regjimit e vrazhdësisë më të rreptë... kjo është të mbrosh fëmijën brenda teje, fëmijë që, ndërsa ti sa vjen e mplakesh, ai prapë mbetet brenda teje pa i mbushur ende të nëntë muajt që të dalë jashtë teje, të marrë jetë.

Intervistuesi: Si ka qenë fëmijëria juaj?

Sadik Bejko: Fëmijëri fshatare, ku nëna e bënte bukën vetë. Vetë na qepte dhe rrobat, bënte zahiretë, gjellët dhe ushqimet për dimër. Kujdesej për vjehrrin e për vjehrrën. Bënte dru në mal. Mbante bagëti, i ushqente, i milte dhe përpunonte bulmetin. Babai ishte gjithmonë jashtë shtëpisë. Në mal, në zall, në pazar... bëhej copë të na sillte bukën... Mali nuk jepte shumë bukë.

Nga ajo fëmijëri mora si filozofi që njeriu duhet të jetë përgjegjës për jetën e vet, përgjegjës për ata që i sjell në jetë. Burrë i vuajtjes dhe i detyrës me kolonën e shpinës drejt... vetëm drejt.

Intervistuesi: Komar, Tepelenë: ku është ky fshat, jo thjesht gjeografikisht? A është në poezinë tuaj...?

Sadik Bejko: Jam nga një fshat rreth 800 metra mbi nivelin e detit. Përballë, çdo mëngjes, më lindte dielli nga mali i Tomorrit. Unë jam malësor. Këtë fill guri të lartësive e kam në filozofi, në poezi... së paku, kështu më pëlqen të besoj...

Intervistuesi: Keni punuar disa vite në minierë. Synimi ishte që "të riedukoheshit". Çfarë ndodhi me ju? A mund të na flisni pak për atë përvojë?

Sadik Bejko: Shkova në minierë "të riedukohesha nëpërmjet punës në gjirin e klasës punëtore". Kjo ishte formula zyrtare. Ishte e gjitha një hipokrizi e regjimit. Sa shkova në minierë, më ndiqnin 24 orë në 24 orë. Kjo ishte e dukshme dhe e neveritshme. Unë i shkrehja lehtë këto kurthe. I takoja ballë për ballë ata që më ndiqnin: pthu mor spiun, mor i marrë, mos të kam bërë mamanë që edhe në hale po më ndjek? E hiqnin atë që ua "digjja", më vinin pas një tjetër... të tjerë.

Punova nën tokë me "përkushtim", arrita deri në kualifikimin si minator, mora kategorinë e gjashtë... por provokimet nuk më ndaheshin. Pra, nuk e kishin me riedukimin tim nëpërmjet punës. Ata donin thyerjen time... kthimin tim në spiun të fëlliqur të miqve të familjes... kthimin tim në lëvere njerëzore, që u fshin shefave këmbët. Kënaqësi që nuk ua dhashë. Se i munda mu në thellësinë më të errët e më të fundme të minierës. Përballova punë në vende me rrezik të lartë, ku të ikën koka e të ikën jeta në fraksion të sekondës. Unë e munda minierën... se terr e minierë më e madhe duhet të ishte jo ajo atje jashtë, por ajo brenda vetes sime. Duhet të mundësh disa nga anët më të errëta... pis e pus të thella të jetës shqiptare... të njeriut në tërësi.

Mos tradhto veten, mos tradhto ato që i quan ideale... ideale të imta, si të jesh njerëzor edhe në vrimat më të errëta dhe pa rrugëdalje. Vrimat e errëta dhe pa rrugëdalje nëpër shpirtin njerëzor janë po aq të rënda sa ato që ditë për ditë të hysh mijëra metra thellë në minierë, me male dheu përsipër, që në çast mund të të bëhen varr. Duhet ta hash varrin tënd përpara se të të hajë. Kjo ishte realisht e mistifikisht, me shpirt e trup, miniera.

Unë zbatova urdhrin, shkova në minierë, por rregullisht bëra kërkesa me shkrim: ku mbështetet në ligj ky ndëshkimi im? Përgjigja: "Ul kokën dhe puno. Zbato urdhrin e partisë!". Nuk ishte partia ime... nuk isha komunist. Por ky ishte komunizmi. Më zhveshi nga profesioni, nga pasuria intelektuale, (dhjetë vjet pa të drejtë botimi, libri "Rrënjët" u ndalua) më mori nderin... më uli në bisht. Dhe: përunju, skllavërohu... pa asnjë ligj. Këtë filozofi ndoqi, vrau e preu këdo që e shihte pengesë në sundimin e vet.

Intervistuesi: Poezia juaj e parë është botuar në gazetën "Drita", në janar të vitit 1965. Kush ju ka nxitur të shkruani: prindërit, mësuesit, leximet, apo...?

Sadik Bejko: Në shkollat e mesme të asaj kohe të nxisnin të shkruaje poezi. Mësuesit e letërsisë i merrnin vjershat e mia, i kopjonin me bojë, me bukurshkrim dhe i afishonin në këndet ku i lexonin gjithë moshatarët e mi. Nuk e dija ç'ishte një karrierë në letërsi. Shkollat atëherë nuk na e tregonin sa keq mund ta paguanin ata që merreshin me letërsi. Kishte poetë që kishin lënë kokën, por ata kishin qenë në regjimet reaksionare, në regjime të kaluara, në regjime dhune; ne jetonim në liri... Kështu na thoshin. Nuk kisha afër ndonjë burrë me përvojë, që të më thoshte: djalë rri larg nga kjo flamë, që quhet poezi. Atë Fishta nuk ka varr, Dom Ndre Zadejën e pushkatuan. Atëherë, këto fakte tmerri na i fshihnin...

Pastaj, të shkruash është gjë e bukur, të del emri në gazetë. Shoqet e klasës të shohin me ca sy të yjëzuar... pse mos të bësh poezi? U ha-ha... u ha-ha, sa gjë e bukur të bësh poezi... por dardha e ka bishtin prapa...

Intervistuesi: Pra, poezia nuk ju ka sjellë vetëm gëzime, por edhe dënime. Atëherë, si e keni ruajtur dashurinë për të gjatë këtyre gjashtë dekadave? Nga shpresa se do bëheshit i famshëm, se do fitonit shumë para, apo...?

Sadik Bejko: Në komunizëm nuk shkrova poezi politike, që të bënin të famshëm. Deri te botimi i librit "Rrënjët", siç thashë më lart, më kishin hedhur në kosh dy libra me poezi. Isha poet i vështirë për redaktorët e kohës. Jam i ndërgjegjshëm se asnjë poet nuk u bë i pasur me poezi. As dje, as sot, as nesër. Atëherë, pse më kruhet kurrizi të shkruaj poezi? Mund të jap shumë përgjigje. Por, me sa duket, kam ngecur në këtë fat. Është karma ime. Kam ngecur si ai që është zhytur me kokë dhe nuk ngjitet në të lartë.

Intervistuesi: Keni përkthyer "Lulekumbullat", një vëllim me poezi nga Konfuci. Nëse dëshironi mund të na flisni për të, por lexuesve të revistës do t'ju interesonte opinioni juaj mbi raportet e poezisë së hershme me bashkëkohoren, ndikimeve dhe interferencave mes poetikës së shkruar në shqip dhe në gjuhë të tjera të botës. Tek ju personalisht, si ndjehet kjo ndërvarësi?

Sadik Bejko: Pa poezinë botërore, të shkruar në shekuj, pa atë referencë të çmuar, që rëndon fort si gur mulliri në ndërgjegjen e gjithë poetëve, nuk di se si do të kishim një poezi të shekullit të njëzetë dhe njëzet e një. Unë lexoj me shumë kënaqësi poezi nga Safoja, nga Alkeu, nga Horaci. Ovidi gjersa të vdes do më mahnisë me atë poezinë e ndarjes së tij nga Roma për t'u internuar përjetë në brigjet e Pondit, në veri të Rumanisë. Nuk e pa kurrë më Romën. Lexoj Danten... unë jam pak reaksionar... pëlqej të vjetrit dhe flas me ta më shpesh se me ca që sot janë gjallë e më të afërmit, si miqtë e mi. Paund thoshte se duhet lexuar Konfuci... dhe unë përktheva poezi të Konfucit shqip nga ç'kish përkthyer në anglisht ai.

E dua shumë haikun japonez dhe poezinë kineze të epokës Tan, poezi të shekullit 7 të erës sonë... I dua Psalmet hebraike të Davidit.

Intervistuesi: "Rrënjët", 1972, pastaj "Ku e ka folenë bilbili", "Si vdes Guri", "Letër Hamurabit" e deri te "Këngët e Salomonit". Si duhen lexuar, me radhë, njëri pas tjetrit, apo s'ka ndonjë rëndësi në poezi kjo? A keni një sugjerim për lexuesit, a ka ndonjë kod të veçantë se si duhet lexuar një poet?

Sadik Bejko: Shkrova në diktaturë, shkrova në këtë që e quajmë "liri". Nuk dua të bëj teori. Shkrova si munda, ashtu si di dhe si mundet një njeri. Si duhen lexuar? Sikur ta dija!

Intervistuesi: Cilët autorë shqiptarë e të huaj kanë pasur e kanë ndikim te ju? A mund të përpiloni një listë të shkurtër me autorët që ju kanë mrekulluar?

Sadik Bejko: Lista do të ishte gënjeshtare. Ndikimet janë jo vetëm si poezi, por edhe si filozofi. Unë i përkas një filozofie pesimiste, të kursyer, deri në limitet që nuk të degdisin në nihilizëm. Këtë mund ta quash stoicizëm. Ngrysje burrërore pa asnjë shteg a pa një ndriçim. Pra jam i zymtë, por jo që t'i kthej shpinën jetës.

Desha Mjedën, desha ata poetë që nuk donin të ishin në ballë, por të tërhequr, si Mjeda në kënetat e fshatit Kukël, të përvuajtur në lëmim të artit poetik, jo si trumbetjerë e udhëheqës heroikë të popujve... si ata që shkruanin për optimizmin, besimin në të ardhme, për beteja që duhen fituar, për besimin te shpirtmadhësia dhe mrekullia e duarve të punës njerëzore… tema komuniste.

Unë vij nga baltërat, nga minierat, nga rrugët me pluhur e me vuajtje të Shqipërisë. Jam një i mbijetuar si gjithë shqiptarët e kohës sime. Më vjen turp të them që jam i persekutuar. Turp për mua. Po atje, edhe në ato zgëqe të Shqipërisë, lexova modernët, si: Majakovski, Esenini, Jorgo Seferis, Kuasimodon, Kavafin, Hiqmetin, Nerudën, Lorkën… Dhe, të të them një të vërtetë: më mahniste proza e përkthyer nga mjeshtrat shqiptarë të përkthimit. Kur poetët më linin të zhgënjyer… proza e klasikëve botërorë është poezia më mjeshtërore si art dhe më e mençura si filozofi. Asnjë prozator nuk do të jetë avangardë e korife siç kanë mallkimin të hiqen shumë romantizantë, të angazhuar poetë.

Intervistuesi: Ju keni dhënë mësim në universitet! Në shoqëritë problematike, të pastrukturuara, ka një prirje për t'i përdorur këto lloj postesh për të krijuar ndikime subjektive te studentët. A i keni rezistuar ju këtij tundimi? Nëse po, a keni një këshillë për kolegët tuaj të rinj?

Sadik Bejko: Jam një pedagog i vjetër. Shpesh ulem me ish-studentë të mi, që japin mësime dhe në kolegjet amerikane. I pyes: çfarë nuk shkonte tek ne…?

Kënaqem kur disa syresh më flasin mirë. Ajo që ka rëndësi është t'u japësh studentëve një model njeriu që kërkon shumë dhe që nuk ka arritur atë që është përtej. Dhe se mund të jesh "i ditur" shumë, gjithmonë ka diçka më përtej nesh që duhet gjetur. Studenti i mirë është ai përtej nesh… atje më tej…

Intervistuesi: Te poezia juaj "Mos më lexo në mbrëmje Magdalenë" ka dy vargje tronditëse: "Tek udha… një njeri po e mbillnin në dhe/…e mbjellin, po atë, njeriun, s'e dashka dheu"…

Sadik Bejko: Është një raport i vjetër i vdekjes dhe i jetës, pa të cilin nuk do kishim poezi. Këto raporte diku shkëmbehen me njëri-tjetrin. Naimi thoshte: "Jam i gjallë e jam në jetë", kur ai sot nuk është. Por thotë jam… kur e lexon, ti nuk dyshon që ai është. Po ku? Shpesh, jemi si pema në këtë jetë, na dalin rrënjët jashtë dhe i mbjellim diku gjetkë. Magdalena sheh që Krishti u ngjall... jemi shumëjetësh në këtë... Vdesim këtu e ngjallemi gjetkë. Ky është kodi ynë universal. Të jesh i pavdekshëm dhe i vdekur njëherësh brenda një jete.

Intervistuesi: Ju kemi parë shpesh nëpër takime promovuese të autorëve të rinj. Kjo sjellje vlerësohet shumë sot. Po ajo që i mbijeton nesër njeriut, të mirë apo të keq, është vepra e tij letrare. Si e shihni ju këtë?

Sadik Bejko: I dashur mik... vlerësoj të jetoj me njerëz të kohës sime. T'i takoj, t'i lexoj, të gëzoj me ta. Vjen një kohë kur një i moshës sime tërhiqet në "shpellë". Kjo u ka ndodhur disa miqve të mi poetë paraardhës. U mbyllën në shpellë. Poezinë e kanë bërë. Jetën e jetuan, çfarë u duhet më shumë? Po, kështu mund të jetë... Mosha ka huqet, paranojat... të rinjtë mund të thonë: po ky dreq, ç'ka që nuk zë qoshen e vet? Kam zgjedhur të gjendem në takimet me të tjerët pa i prekur në mënyrat si ndjejnë e gëzojnë, qoftë edhe duke qenë prezent... veç unë shumicën e krijimtarisë së tyre e kam ndjekur... nuk u shkoj si hije, si i moshuari në një sebep.

Intervistuesi: Jeni fitues i "Penda e argjendtë", 1998, dhe disa çmimeve të tjera. Çfarë roli kanë çmimet, mirënjohjet? Si i shikoni ju këta stimuj të jashtëm?

Sadik Bejko: Çmimet janë një mrekulli kur i merr. Ndjehesh i vlerësuar. Më kanë gëzuar shumë. Janë si raporti i njeriut me nderin. Je i nderuar në një mjedis, në një kohë e hapësirë, raporti me ty e të tjerët përreth. Po në raportin universal, tejkohor e hapësinor? Si raporti i njeriut me Zotin? Çmimet janë në raport me përkohësinë, me të përditshmen që jetojmë. Por, a ka një realitet tjetër të prekshëm... ai me Zotin e lavdishëm? Atë nuk dihet kur e takojmë, jemi qenie tokësore. Gëzimet e çmimeve janë gëzime të kësaj toke.

Intervistuesi: Shpesh nga poetët transmetohet në vargje një tis pesimizmi e trishtimi! A mendoni se këto gjendje janë dukuri mistike, turbulli poetësh nëpër errësitë e kësaj bote, apo vijnë nga jashtë si dallgë kozmike nga pafundësia...?

Sadik Bejko: Jam nga një truall real... nga një vend ballkanik me shumë histori. Pse është pesimiste pamja...? Po, poetët janë si shtegtarët, nuk kanë një vend më të mirë sesa arratisja në tejjetën, në tejkohën, që nuk e njohim. Janë qenie pa atdhe... në planin mistik.

Por le të zbresim nëpër errësitë e botës shqiptare. Ky vend mund të ketë hartë, himn, flamur, qeveri, president... Por, realisht është një vend i huaj për bijtë e vet. Një "dhe i huaj" nuk ka pavarësi, nuk di kush ia cakton kufijtë, kush ia zgjedh qeveritarët... nuk di si mund të quhet shtet kur bijtë e tij nuk mund të gëzojnë privilegjet e një jete të denjë, me punë e me djersë. Një vend që i ha bijtë e vet me varfëri... edhe mund të quhet i pavarur, edhe mund të quhet shtet.

***Intervistuesi:** Ishte kënaqësi biseda me ju!*

Sadik Bejko: Shumë faleminderit, Arbër... mik, koleg!

SALI BASHOTA

Përvoja me heshtjen

Më afër shpirtit janë shenjat e shenjta
Më afër tokës është lamtumira e hijeve
Nëse mbesin gjithmonë të njëjtat kujtime
Në mesnatë kur i mbyllim sytë
Pa shfaqur mosbesim për fjalën e fundit
Kur thuhet vetëm një herë
Sidomos për gjërat e dashura andej vetmisë
Si mollët e tharta që na mbesin në fyt
Në çastin kur largohen brengat e trembura
Kur nuk iu besojmë shikimit të syve të panjohur
Derisa mendimet bien në gjumë
Pa i ndërruar kostumet e melankolisë
Më afër shpirtit janë shenjat e shenjta
Më afër tokës është lamtumira e hijeve
Pa e zemëruar asnjëherë heshtjen
Kur nuk e duam lëkurën e butë të përqafimit
Mbuluar me çarçafë të bardhë
Derisa ekziston e papritura
Pa e përmendur fundin e harrimit tjetër

Laud syve

Në vitin 1959
Jorge Luis Borges humb shikimin
Asnjë çast
Nuk i ngjante udhëzimit për vetminë
Fluturat e bardha i pushonin krahët e lodhur
Mbi lutjet e afshit
Shiu vazhdonte ritmin e vet
Poshtë shkallëve të dhimbjes

Vetëm sytë dashuronin
Parajsën me emrin e nëntë lumenjve
Aty ku shpërndahej drita
Në vitin 1959
Jorge Luis Borges humb shikimin
Vetëm një dritare ishte hapur
Vetëm një hije priste ngushëllim
Vetëm një fëmijë luante me lulediellin
Të gjitha ëndrrat ndillnin fat
Të gjitha buzëqeshjet protestonin
Të gjitha kujtimet e duronin heshtjen
Në vitin 1959
Jorge Luis Borges humb shikimin
Asnjë çast
Nuk i ngjante udhëzimit për vdekjen

Vullneti i lirë

Edhe këtu janë të gjallët

Me librat e ëndrrave në duar
Derisa trembet malli i parë
Në prehrin e dashurisë
Derisa zgjohet klithma e fundit
Pas ritualit të dhimbjes

Edhe këtu janë të gjallët

Një ditë pas hidhërimit

Prapë është natë
Shpirtrat mbledhin kujtime
Ndonëse prova e zjarrit
Nuk është e njëjtë si dikur
Si në mjegull

Një ditë pas hidhërimit
Vijnë shtegtarët e mërzitur
Secili më i përmalluar se tjetri
Sytë nuk e shohin më
Shtegun e humbur
Kur çdo ditë hijet
E ndjekin vetveten
Një ditë pas hidhërimit
Shkojnë edhe engjëjt
Në rrugën e dashurisë
Pastaj vjen prapë nata

Himn poezisë

Frymëzimi i ngjan qiellit me yje
Kur renditen ëndrrat si lulet e dashurisë
Pastaj ndjenjat e rrokullisura
Rrëshqasin në shiun e ngrohtë të verës
Pak më vonë vijnë mendimet
Për gjatësinë e jetës
Vizatohen disa figura të bardha
Duke arsyetuar mallëngjimin e syve

BUJAR BALLIU

Data e lindjes

Po i trembej pushtetit të rrëmujës, porositi gotën e rakisë: Sot, dyzetvjeçar. Kush hodhi idenë se nuk duhet festuar dyzet vjetori, ka qenë i mençur. E si mund të gëzohesh që kalon një prag të tillë? Gjithmonë mosha me shifrat e para një, dy, tre, i qe dukur e qashtër, rinore; me katër, e tmerrshme...

Gotën e dytë e gjerbi me gllënjka çaji. Kujtoi puthjen e gruas ndaj të gdhirë dhe u vrenjt: dyzetvjeçar që shijon vetëm buzët e saj. E ç'mund të korrigjohet kaq vonë? Për një çast imagjinoi si do të ishte jeta e tij pas divorcit. Portretet e të bijave ia përzunë menjëherë atë mendim.

Një flirt edhe mundej.

Në xhamat e lokalit fytyra i pasqyrohej në disa pamje. Të gjitha simpatike. Flokët e rralluar dy anëve të ballit i dhanë ndjesinë e sigurisë.

Kur pagoi, kuptoi se kishte pirë shumë gota.

"Nuk e ke shefin sot! Por ja, "shefja". Ah, "shefja"!

Me pantallona doku amerikane, këmishë të bardhë të zhubrosur, dy rrathë vathësh të zinj, sytë ku rrëzohej pandërprerë joshja, që ditën e parë të paraqitjes në punë e bëri të ndihej aq i vetmuar, sa thuajse iu hodh në krahë kur i dhanë dorën njëri-tjetrit. Mandej afrimi erdhi natyrshëm. Arda i tregoi për lidhjen me një djalë dhe zhdukjen e pakuptimtë të tij.

"Sa e ëmbël!".

E gjeti në vendin e zakonshëm, para kompjuterit. Këmbët njëra mbi tjetrën nxirrnin në pah forma provokuese.

Kur hapi derën, e mati me vështrim. Atij i pëlqeu. E dinte që ishte i mirë. Edhe në të puthur. Ia thoshte shpesh e shoqja. Prapë ajo?

Hapat i hodhi nxituar, e rrethoi me krahë, i kërkoi buzët. Ajo i vuri duart mbi gjoks, e shtyu, u tërhoq në cepin e zyrës.

- Mos u afro!
- S'të pëlqej?
- Je i martuar.
- Me gjërat merrem unë këtu.
- Duket.

Brajani u ul në karrige i dërrmuar. Arda u tërhoq praptas deri te dera, si t'u largohej flakëve të një zjarri.

Pasdite erdhi në zyrë para orës tre, gjeti edhe shefin. I përshëndeti, zuri vendin e tij, hetoi fytyrat e të dyve. Asgjë shqetësuese, por dhe asgjë që mund t'i hiqte dyshimin se nuk kishin folur për të.

Sakaq nisi ta përndjekë imazhi i fytyrës së saj të inatosur, u ndje i frikësuar, tmerrësisht i frikësuar. T'i qe dorëzuar në mëngjes, tani do të ishte zhdukur nga jeta e tij. Qëndresa tashmë ngrinte krye me ironi për t'i kujtuar aftësinë e saj për të rezistuar dhe për të pasur mundësi të luajë me të fshehtën. Ai nuk u pengua nga vetja, as nga opinionet. Tani po i mendon.

- Përshëndetje, - në derë u duk e shoqja.

Shefi tundi kokën, Brajani ngriu.

Arda u ngrit më këmbë, i futi krahun, e shoqëroi nga dera.

- Kam një fjalë, - nisi bisedën pa dalë ende nga zyra.

Pesë minuta më vonë, Arda u plas mbi karrige, vuri dorën të kollitej. Brajanit iu duk se e bëri që të fshihte nënqeshjen dhe përnjëherë ajri u mbush me do farë lënde plasëse. Kush fliste, do të merrte përgjegjësinë e ndezjes. I duket vetja false. Koka i peshon jo mbi supe, mbi stomak. Nuk mund të shfletojë asnjërën nga fletët e dengut të faturave. E vetmja gjë që di me siguri është se po gënjehet prej qetësisë së Ardës dhe fytyrës vuve të shefit. Nuk dallon dot se cila prej sjelljeve të tyre është e vërtetë e cila e gënjeshtërt.

"Është më e rrezikshme ta ketë marrë vesh shefi, apo ime shoqe? Po sikur të dy?".

- Do shkoj të pi një kafe, - tentoi të ngrihej.

- Ulu! Mbaro punën, pastaj!

Shefi nuk i fliste kurrë me atë ton. Nëse do kishte mundur të dilte, mbase mund t'i lindnin mendime shpresëdhënëse, por hapësira e ngushtë, nga karrigia te dera, e pengoi. Befas

110

dëshirat ranë, shfajësimet po ashtu. Një dritëz i vagëllon në cep të ekranit të mendjes që, sikur dikush të zgjatë dorën e të ndezë ekranin, do të shfaqen në të, me sinqeritet vrasës, imazhet e paradites. Po e gjente veten në vështirësi për shkak të terrenit të gënjeshtërt ku u vendos.

Mezi pret të erret. Është dhjetor, ngryset shpejt. I pëlqen gjithmonë, sidomos sot, liria e veprimit kur bie nata. Aty ka mundësinë të fshihet edhe prej vetes, sidomos kur qyteti kotet në kohën e brymës, mjegullës a dëborës.

Ndërsa përpiqej të treste ankthin, duke rreshtuar akuza dhe kundërakuza, mori vendimin të mos kundërshtonte asgjë. Mjerimi mendor, shijen e të cilit e provonte për herë të parë, iu vërsul me intensitet të lartë, i rëndoi si presë hidraulike.

- Nuk vazhdohet kështu, - tha Arda.

- Pa hë! - shefi ngriti kokën nga kompjuteri.

" Filloi. Fundi për hair!".

Heshtje.

- Nuk të lejoj të më ndysh punën, - iu hakërrua shefi Brajanit.

Arda e shikonte në sy. Brajani mori zemër.

- Ndodhi gjë tjetër?

- Jo, - përgjigj Arda.

- Mos të të shoh në klub, - u inatos shefi.

- Më vendos orar fiks.

- Që tani.

Rrëmbeu një letër të bardhë, filloi të shkarraviste.

"Mirë deri këtu", i bëri qejfin vetes, pasi vuri re që shefi mezi i përmbajti nervat. Përveçse lidhjeve familjare me të, ia forconte sigurinë e të qëndruarit në punë aftësia profesionale. Por u mek kur dëgjoi zërat e të bijave në derën e sapohapur.

"Tani gjej vrimë të futesh!".

Shefi kishte humbur mes shifrave. Arda zgërdhihej paturpësisht. Priti të hynin. Pëshpërima vazhdonte t'i cingëriste nervat. Doli te dera. Vajzat i lanë në dorë një kuti dhe u larguan duke kukurisur.

Brajani e la në cep të tavolinës. Nuk i bënin duart ta hapte. Arda u ngrit, i vendosi pranë kompjuterit një zarf të mbyllur.

Nuk qe i formatit të zyrës.

"Kuçka", mendoi shefi dhe doli. Si gjithnjë, për cigare.
Brajani hapi zarfin. Dhe mbeti:

"Gëzuar ditën e lindjes! Mos më trajto si kurvë!".

U kthye, e vështroi me mirënjohje.

RUDINA MUHARREMI

Psherëtimë

Ndiej hapat e tu që bëhen të shurdhër
vështrimin e ngrirë që rri pezull diku
dhe dita m'i zvogëlon dritaret

Dynden fjalët që mokrra s'ka thërrmuar

Fshij sytë e heq një vel trishtimi
kërkoj fillin e këputur të një mendimi

Por sërish më pushton një ndjesi zbrazëtie
e ngjashme me ikjen e stinëve...
Ulem në teh e përtyp një psherëtimë

Premtim i pambajtur

Viti vijon të çukisë ditët e tij
një mantel hedh mendimeve të mia
shpirtrat varen si rrecka të pathara
shpëlarë prej fjalësh - dashuria...

Orvaten anijet të sjellin shpresë
me velat nderë detrave frikëndjellës
orvaten avionët guximshëm shpojnë qiejt
për të ngushëlluar udhë e njerëz...

Zbresin ngadalë perëndimet e zbehtë
shakullima gjethesh gremisin në humnerë
vetmojnë vetmive far të gjallë
aroma e mungesës bëhet më e mprehtë...

Strehohen ndjesitë kthjelltësisë së lotit

dhimbja, gëzimi, gjithçka e papërsosur
kërcëllin dhëmbët premtimi i pambajtur
thyen varrin ku gjallë është varrosur...

Unë e dija

Unë e dija se gjithçka do të mbetej vetëm një bisedë
ndonëse e kam dashur aq shumë atë përqafim
shpirtrat kur të bashkoheshin nën dritën e hënës
e kam dashur veten në të mbështjellë,
pa frymë
e sytë e tu që do të shkëlqenin nga lumturia
si dy perla të lagura
dhe drithërimën e zërit tënd të ëmbël e të brishtë

Unë e dija se gjithçka do të mbetej vetëm një bisedë
s'mund të ish më tepër;
vetëm një arnë e bukur kohe prej jetës sime prerë
një arnë vezulluese qielli me buzëqeshjet tona mbjellë

E dija, ndaj e mbylla n'arkivol shpirtin

Bien

Të pafajshëm në ekzistencën e tyre të vockël,
ata zgjedhin të bien

Bien or bien!
Bien e fshihen si thëngjij
memecërisë së hirit të tyre,
si një e keqe e padukshme
humbin privilegjin e një zemre,
dhe si tymi i zjarrit që shuhet
arratisen me erërat ...

I ndala hapat

Ka vite që hyj e dal qerthullit të një mjegulle,
më ngjyen me gri, më zbraz,
vigjëlon,
me duar të padukshme më lidh,
teksa pikëllimi vërsulet si një bishë kokëprerë...

Por sot,
i ndala hapat.
Mjegulla krahët mbante hapur si përherë,
shkulte flokët e ulërinte,
mbi një bozhur villte vrer.

Vetes përballë

Më duhet t'ia rrëmbej dritën ditës
e të përshkoj udhën më të gjatë
atë që zbret brenda dhimbjes
rrjedhave të saj më të errëta
për t'u gjetur vetëm me veten
dhe melankolinë që fle nënkresës së fortë...

Hijet tona

Tashmë gjithçka ka mbaruar;
Karonti i ka ngritur velat,
e ka ulur spirancën,
pret të tragetojë hijet tona...!

Ikin

...Dhe ashtu, fare pa e kuptuar
udhës së gjatë të ekzistencës,
nuk shfaqen më shumë njerëz.

Disa zgjedhin të humbasin,
disa zgjedhim t'i humbasim,
e disa,
ikin për të mos ikur kurrë...

S' më folët

Hënë e mekur humbur errëtisë,
ti luginë e mbjellë ankth
e as ti nënë
s'më folët mbrëmë...

Një përrallë, një fjalë, një ëndërr

Mbrëmjeve të gjata, ditëve pa mbarim,
vështronte përtej akuarelin në lëvizje,
nga një dritare që xhamat vishte me frymë,
mbante brenda mendimet,
e sytë ngjyroste me një vel melankolie.
Ndoshta priste një lajm,
një përrallë, një fjalë, një ëndërr...

Tehut të mendimeve

Sa herë që një ëndërr bitiset,
ulem tehut të mendimeve
e shkund krejt dremitjen e shpirtit
dhe atë të stinëve.
Fajkua ringritur kurmit për së ngjalli,
ç'të jetë vallë më keq se një ëndërr e zhbërë?
Humbja e dëshirës për të ëndërruar sërish...?!

Qershitë

Me mësuesen e muzikës shkuam në qytet për të dhënë një shfaqje. Në pazar pamë një turmë njerëzish të mbledhur para markatës. Kishin dalë në treg qershitë e para. Pesëdhjetë lekë kilogrami. Baba më kishte dhënë njëqind lekë.

- Merri, - më tha, - blej ndonjë byrek apo akullore, të tjerat ktheji në shtëpi. Qershitë më tunduan. U afrova te banaku. Dikush merrte një çerek kile, dikush një gjysmë e pak kush një kilogram. Më erdhi radha e s'kisha kohë të mendohesha shumë. Bleva një kilogram. I hodha në trastën e librave. Një grusht qershi për gjyshen, një për nanën, një për babën, një për motrën e një për mua, po i ndaja me mendje gati kokërr për kokërr.

Gjatë rrugës së kthimit fillova t'i provoja. O zot, sa të kuqe e të ëmbla ishin! Nga stacioni i fundit i autobusit mbetej edhe një orë e më tepër për të mbërritur në shtëpi. Qershitë po zvogëloheshin: nuk ndalesha dot pa i ngrënë. Pranë shtëpisë, në trastën prej bezeje kishte mbetur veç një grusht prej tyre dhe fletorja e poezive që kisha recituar.

O zot, çfarë do i thosha babës?! Lekët e harxhuara, qershitë e ngrëna... Atë çast e pashë në krye të arës dhe i thirra:

- Babë! O babe! Kur piqet qershia jonë?
- Eh, do edhe një muaj, çika e babës. Tani jemi në maj.
- Kur të piqet, a dalim t'i shesim në qytet? Ishte pesëdhjetë lekë kilogrami. Baba më shikoi me dhembshuri e sytë i mbetën te dora ime gjysmë e mbledhur, që mbante kokrrat e fundit të qershive!

Te dyqani i bukës

Zorrët më kërcisnin prej urisë. Gjithë ditën në pritje te dyqani i bukës, por buka s'po vinte. I rashë rrugës të paktën dhjetë herë andej e këndej, sa për të kaluar kohën e më shumë për të mos ndjerë urinë. Mbrëmja po binte e oborri i dyqanit ishte mbushur plot njerëz. Dikush thoshte se ishte prishur mulliri e ka mbetë misri pa u bluar, dikush tjetër thoshte se s'ka pas dru në furrë. Ndërsa po jepnin versione të ndryshme, u dëgjuan trokëllimat e kalit të kuq, që me zor po e ngjiste maloren.

- Erdhi buka, erdhi buka, erdhi... - u dëgjuan zërat e fëmijëve.

- Ardhtë me marre! - ia preu një burrë i moshuar dhe i lodhur.

Perdja e territ gati kishte rënë, por kali i kuq dallohej mirë dhe i ndjehej edhe duhama që lëshonte prej peshës në kurriz. Shitësja gjithashtu ecte nxituar pas tij. Ajo godiste herë mbas here me një thupër lajthie kalin e shkretë! Bukës së nxëhtë i vinte era nga larg, përzier me erën e kalit që pikonte djersë. Sëndukët prej dërrase u shkarkuan në tokë. Shitësja me kryet përpjetë e me buzët e kuqe flakë, hapi sportelin si një birucë miu e filloi të merrte bukët një e nga një, duke i numëruar e vendosur në raft. Kisha humbur në grumbullin e njerëzve, ndërsa lekët e bukës i shtrëngoja fort në grusht nga frika se më humbnin.

- Më jep dy bukë oj shoqe, se jemi dhjetë veta në shpi e nuk na del një.

Njerëzit shtyheshin e unë përplasesha sa në njërën anë, sa në tjetrën. Një dorë e fortë si lopatë më shtyu fort e dëgjova një zë të frikshëm, "Ik he dreq, hape rrugën!". Nuk iu binda aspak atij zëri, sepse zorrët e mia kishin kaluar në një protestë edhe më të fortë se ajo dora që më shtyu. Bëra si bëra e ia beha te banaku prej vrime.

- Ajshe! Oj Ajshe, m'i jep dy bukë se kam pesë orë që po pres.

Shitësja me buzët e kuqe flakë as që m'i hodhi sytë, veç vazhdoi të jepte bukë sipër kokës sime. Era e tyre më nxiste edhe më shumë që të hidhesha në sulm.

- Ooooj Ajshe, - bërtita me të madhe, ndërsa me njërën dorë mbahesha fort te banaku, - m'i jep dy buuuukë!

- Të hiftë dreqi në bark! Nuk ka buk'! U mbarua! - u dëgjua zëri nga përtej sportelit.

Dora m'u shkëput prej banakut e sytë m'u bënë terr. Shitësja kishte ndezur një qiri e po numëronte lekët e xhiros, ndërsa një djalë i ri rreth të njëzetë e pestave, që ishte sekretari i rinisë, ia mbante qiriun për t'i bërë dritë. Shkova ngadalë te dera e dyqanit. Njerëzit ishin shpërndarë e kishte rënë qetësia.

- Unë dua buk', - i thashë shitëses e vendosur.

Ajo zgjati dorën në fundin e dollapit e më dha një bukë akull të ftohtë, të ditës tjetër e të ngrënë në dy-tri vende nga minjtë.

- Merre, - më tha, - kjo ka mbetur.

Sytë m'u mbushën me lot e drita e qiriut m'u bë me një mijë ngjyra e m'u spërklat mbi fytyrë.

- Merre! A don, a nuk don bukë? Boll e keni një, se ka familje që u kam dhënë vetëm një gjysmë.

- Jo nuk e dua bukën e ngrënë nga minjtë. Mbaje për vete!

U nisa për shtëpi. Urinë nuk po e ndjeja më. Në shpirt, si në stomak, më ishte bërë një gropë prej mendimeve: "Pse s'ma dha bukën e nxehtë? Pse ma dha bukën e djeshme? Ne s'jemi familje kulakësh, por edhe ata hanë! Baba im s'është komunist, po s'janë komunistë krejt fshati.".

Po ecja nëpër natë e revoltuar, e uritur, e pafuqishme. Në ato çaste, pashë nga larg siluetën e nënës. Kishte dalë të më priste buzë arave, me fener në dorë, në krye të rrugës së bojlive. Ia shtrëngova fort dorën pas fytyrës e në të ndjeva erën e kulaçit prej misri, që po piqej në oxhak!

Motra nuse

Atë ditë gjithçka ndryshoi për mua! Ajo s'do ishte më as në shtratin tonë prej druri, as në sofrën e rrumbullakët ku uleshim çdo darkë! Ajo po ikte larg, shumë larg, në një fis të huaj, në një familje të re. Sa shumë qava atë natë. E fundit herë që flinim bashkë përqafuar! Në heshtje po i jepnim lamtumirën krejt fëmijërisë sonë!

Të nesërmen erdhën për ta marrë. Motra nusëronte mbi një kalë të bardhë. O zot, më ngjante me personazhet e përrallave. Ishte krejt si një zanë mali! Lotët e saj binin mbi jelen e kalit e bashkoheshin në faqet e mia. Ajo iku. Patkonjtë e kalit të bardhë lëshuan xixa rrugës së qershive, mbuluar krejt me gjethet e vjeshtës së vonë!

RUPI KAUR

***

seksi kërkon pranimin e të dyve
nëse njëri s'bën asgjë e rri veç shtrirë
sepse akoma s'është gati
nuk është në qejf
a thjesht nuk do
tjetri bën seks veç me trupin
kjo nuk është dashuri
por përdhunim

***

më thua të hesht
se mendimet ma heqin bukurinë
por zjarri brenda meje
nuk është ndezur që të fiket
fjalët e mia të ëmbla
nuk më bëjnë të gëlltit lehtësisht
u krijova e rëndë
gjysma teh e tjetra mëndafsh
që nuk harrohet lehtë
e që mendja lodhet ta ndjekë

***

sa i ngjan sat' ëme
ndoshta se kam ëmbëlsinë e saj
të dyja sytë i keni njësoj
sepse lodhjen e kemi njëjtë
po duart
të dyja me gishtat plasaritur
por inatin që jot' ëmë nuk e ka
drejt
kjo është e vetmja gjë
që kam nga im atë
(Homazh për "Trashëgimi" e Warsan Shire)

***

Baba. Gjithnjë më telefonon pa thënë asgjë të veçantë. Më
pyet se ç'po bëj a ku jam dhe kur heshtja shtriqet si një jetë
e tërë mes nesh, përpiqem të gjej pyetje të vazhdoj bisedën.
Dëshiroj aq shumë të them se e kuptoj që kjo botë të ka
thyer e këmbët t'i ka lodhur. Nuk të vë faj që nuk di si të
jesh i butë me mua. Nganjëherë rri zgjuar e mendoj për
gjithkund që të dhëmb e nuk do as t'i përmendësh. Edhe
unë vij nga i njëjti gjak plot lëngim. Nga i njëjti asht, aq i
dëshpëruar për vëmendje, sa më shemb mbi vete. Jam jot'
bijë. E di, bisedat tona të rastësishme janë e vetmja mënyrë
që ti di të më thuash se më do, sepse është e vetmja mënyrë
që unë di të të them se të dua.

Problemi me një prind
të alkoolizuar
është se një prind i alkoolizuar
nuk ekziston
sepse
një i alkoolizuar
nuk rri dot esëll
aq sa të rrisë fëmijët

dashuria do vijë
dhe kur të arrijë
do të të përqafojë
do të të thërrasë në emër
dhe ti do shkrish
nganjëherë
do të të lëndojë
padashur
nuk do luajë
sepse e di që jeta
ka qenë e vështirë para saj

dua dikë
që di ç'është mundimi
ashtu si unë
dikë
që të m'i mbajë këmbët në prehër
në ditët kur nuk ngrihem dot
një njeri që jep
atë që më mungon
para se ta di se më duhet
një të dashur që më dëgjon
edhe kur nuk flas
këtë lloj mirëkuptimi
kërkoj

- ky është i dashuri që dua

ai veç pëshpërit të dua
e rrëshqet duart
brenda rripit
të pantallonave të tua
këtu duhet
të kuptosh ndryshimin
mes dua dhe më duhet
mund ta duash atë djalë
por sigurisht
nuk të duhet

***

mos mendon se jam një qytet
i madh sa për ikje fundjave
jam fshati që e rrethon
e që nuk e ke dëgjuar kurrë
por që gjithnjë i kalon përmes
nuk ka neone këtu
as gradaçela e statuja
por ka rrufe
sepse i bëj urat të dridhen
nuk jam ushqim rruge
por reçel shtëpie
i trashë e më i ëmbli
që buzët do të të prekin
nuk jam sirenë policie
jam shkëndija në vatër
mund të të djegë, por ti prapë
nuk m'i heq dot sytë
sepse jam aq e bukur kur ndrijë
ti skuqesh
nuk jam dhomë hoteli jam shtëpi
s'jam as uiski që ti do
por uji që të duhet
mos eja me shpresë
se do të bash pushime te unë

***

nëse ai
nuk rri dot
pa përçmuar gra të tjera
kur këto nuk e shohin
nëse gjuha e tij
është helm
mund të të mbajë
ëmbël në prehër
mjaltë
mund të të ushqejë ëmbëlsi
e të të lajë me ujë trëndafili
por e gjithë kjo
nuk e bën të ëmbël
- nëse do ta njohësh se ç'burrë është

Përktheu nga anglishtja Dritan Kiçi

ERNEST KOLIQI

Kur Orët lajmojnë

Gjeto Marku e Lulash Prela po hajshin bukë e shëllinë në nji shpellë mali. Shpella ishte e madhe e e naltë; drita i hynte nga do bira të çeluna në shkâmbijet mâ t'epra të saj; grykën e kishte aqë të vogël, të mëshefun e të ndërlikueme, sa qi dokushdo menjiherë s'mund ta gjênte. Po mbushej i dyti vjet qi ata burra rrijshin në mal, komitë. Të dy kishin vrá njerëz qeverrije e gjêndarmerija i gjurmonte pa pushue. Pushkët e shëndritëshme i kishin mbështetë secili afër vetes. Ndêjë kâmbë - kryq po hajshin tue bâ kuvênd.

- More, sa ngjatë vera, nieri rri në mal edhe për qef: dimni, dimni na vjen hakut.

- E... po ia mbrrin i treti dimën...

- Drue edhe se, të ramen gjethi, s'janë kah na lânë rahat. Kanë me çue ndoshta edhe ushtri me na ndjekë, mbasi gjêndarmerija s'po mundet m'e qitë me né. Ka bâ bujë të madhe vrasa e atyne ushtarve...

- S'kanë ça na bâjnë...

- Prap tash vritena me ta. Me të kallzue të drejtën, deri sa janë gjêndarmë nuk më dhimben kurrnji grimë, por ushtarët më dhimben fort. E... pasha Zotin, veç prej ngushticet se s'i kisha vrá ata dy!

Kështu flitte Lulash Prela.

- Kanë shkue e kanë mbarue - ia priti Gjeto Marku. - Shëndosh na, Lulashó... S'ke ça i përmendë...

- Shif këtu, - bâni Lulashi si mos t'i kish ndëgjue fjalët e tij, - ishem mëshefë mbas nji guri e qitshem në ta si dreq për me i trêmbë. Tjerët kishin ndêjë mbrapa: këta dy u avitshin me marifet. Më gjuejshin, bâjshin dy hapa e bieshin për tokë. Kurr mâ ngusht në jetë teme s'e dij veten. Qit un, qit: s'ishte punë qi me i hjekë qafet. Por, tekembramja, njâni u zbulue e i rá plumbja e eme lules së ballit. I dyti (kishte pasë kênë karathí!) s'u frigue asnji fije, pasha Zotin, por... përpara drejt e në mue. Kaq afër m'erdh sa qi jam çue në kâmbë e në bark ia kam shprazë pushkën tue britë: "Mos, he paç veten në qafë!". Ushtarët e tjerë ikën. Un u lëshova kah ata qi u rrëzuen: kishin dekë të dy. Njâni ishte shum i ri: kishte nji fytyrë t'âmbël fëmije. Thashë me vete: "Gjynah! Zogj shqiptarësh janë edhe këta rrezik-zez!".

Lulashit iu terratisën syt e iu vuer edhe mâ tepër fytyra e parrueme, rrethue me nji shall të palamë. Ndêj mêndueshëm. Gjetoja ia bâni:

- Ça dreqin ke sonde? Ça po të duhet me i përmendë punët e kalueme? Mos u bân si grue e keqe! Na... prit të qes nji pikë raki, se të bân mirë.

Gjetoja u ngrit. Sa po merrte në nji birë të shpellës shishen e rakis, nji batare pushkë krisi, pa pritë pa kujtue, aty afër. Malsorët kapën mauzeret e u turrën kah gryka e shpellës.

- Na ka rrethue patrolla - pëshpëriti Lulashi.

Pa qitë mirë fjalën prej goje, gjashtë pushkë tjera jehuen gjëmueshëm nëpër shpellë. Anmiku s'ishte sigurisht mâ se katërdhetë hapa larg. Komitët me pushkë të ngrehuna ishin shtrie për tokë në të hymit e shpellës, tue pritë krismën e plumbave nëpër shkâmbije, gati m'e shpërblye shtrêjt jetën e tyne. Pritën nji copë herë n'at pozitë: kurrkush s'u ndie. Përgjuen mâ me kujdes: jashtë, as zâ as zhurmë. Gjetoja çohet, tue u ruejtë, e qet, pak sa, kryet: as tërmaleve të xhveshuna as në teposhten e rrëmbyeshme nuk shifej njeri i gjallë. E njeriu, n'at mal të thatë, dahej nji orë larg tue ardhë; as vênd m'u mëshefun, përveç shpellës, s'kishte n'at shkretinë.

- Ça dreqi kje? - desht me thânë Lulashi, por nji fishkllimë e gjatë e dridhshme, e çuditëshme jehoi mal në mal e u shue në largsi. Atëherë ata Malsorë qi pa u tutë e shikojshin or' e ças dekën, u zverdhën e ia ngulën shoqishoqit syt e mënderuem.

- Orët! - bâni Lulashi me zâ të plasun.

Mbështetën pushkët për shkâmb e u ulën prap me ndêjë. Pinë nga nji gotë raki e për disa çasa asnjâni nuk çeli gojë. Në fund fare, Gjetoja pyeti me zâ t'ultë:

- Sa pushkë t'u bâ ty se ndëgjove?

- Gjashtë a shtatë...

- Aq edhe mue...

Prap heshtën. Mbandej rishtas shikuen, të mënderuem, shoqishoqin. Gjetoja bâni me zâ qi dridhej:

- E... a e din ça donë me thânë?...

Lulashi uli kryet e përgjegji:

- E dij: mbrenda këtyne shtatë ditve njâni prej nesh des.

E nuk folën mâ. Nata erdhi e mbuloi me errsí male e lugina. Lulashi mâ i pari e theu heshtjen:

- Çou, - i tha shokut, - çou të shkojmë e të rrëfehena.

Gjetoja u ngrit menjiherë si ta pritte at grishje. U nisën, nëpër natë pa hânë, kah famullija mâ e afërme. Ecën disa orë të mira e, prej mesnatet, arrijtën ke qela. Kisha ishte pak mâ andej, në nji oborr. Tue i kalue përpara dy komitët bânë kryq. Lulashi kërsiti në derë të qelës me shul të pushkës. Mbas nji grime nji zâ i përgjumshëm briti prej së nalti:

- Kush â?

- Çile: shtegtarë jena e duem m'u rrëfye.

- S'â kohë rrëfimi kjo. Ktheni nesër, - përgjegji ishnueshëm zâni i përmbrendshëm.

- Hajd e çoje padren m'e çelë derën.

Rrogtari, në këmishë e në të linta, mbas tij, mbante nji qiri në dorë. Frati nuk i njihte Malsorët, por u kujtue se kush ishin. U tha:

- Hajde, byrum: mirë se u ka prû Zoti.

E u prîni kah oda e bukës. Komitët lanë pushkët te dera, zdeshën opângat e hynë n'odë. Ndëjën në karrika, rrotull tryezës. Rrogtari ndezi kandilin e duel me qiri në dorë tue hjedhë shikime të dyshimshme kah miqt e papritun.

- A keni hangër? A doni me ju shtrue sofrën?

- Faleminderës, zotní, - përgjegji Gjetoja: - s'duem kurrgjâ. Kena ardhë vetëm m'u rrëfye. Nuk âsht kohë kjo me ia mësy kuj shtëpín, por ti, zotni, e din se na ditën s'mund të dalim.

- E dij, - ia priti meshtari. - Un jam gati për ça të doni. Por... po pimë ka nji kafe njiherë e ka nji cingare duhan...

I lëshoi zâ rrogtarit, i tha me ndezë zjarmin e me pjekë kafet. Gjetoja, tue thithë cingaren qi i dha frati, kallzoi:

- Zotní, kena ardhë te ti m'u rrëfye, pse njâni ndër né të dy do të desin mbrenda këtyne shtatë ditve.

Frati ngriti fytyrën kah ai në shêj pyetjeje tue e shqyrtue me kureshtë.

- Na kanë dhânë lajmin Orët e Malit.

Edhe e diftoi punën gjithsesi. Frati tundi kryet e spjegoi:

- Kjo quhet bestytni qi don me thânë besim i rrêjshëm. Mos u jepni rândësi këtyne sendeve, pse janë të tâna kote.

Lulashi tha me nji zâ ku ndëgjohej sigurija mâ e madhe:

- Ti, zotní, je me shkollë e me dije e ke gjithmonë arsye. Por... edhe na Malsorët i njohim mirë këto shêje edhe e dijmë se dalin për herë të vërteta.

Erdh kafja edhe e pinë tue e përsjellë me tym duhanit. Rrogtari prûni, mbas porosís së fratit, edhe shishen e rakis. Mbasi u shprazën disa putira, Gjetoja u çue e duel n'odë të zjarmit me pritë qi Lulashi t'u rrëfente. Mbandej, si mbaroi, priti ky e shkoi Gjetoja m'u ulë ndër gjûj para meshtarit. Kryen punë të dy, pinë edhe nga nji putir rakí, i puthën dorën padres tue i lypë të falun për trazim e duelën.

Ishte nji orë mbas mesnate. Lulashi tha, n'oborr të kishës:

- Shkojmë e falena me shtëpija tona.

Ecën gjatë, pa folë; kapërcyen lugje t'errshme; iu ngjitën tërmaleve të mundëshme e iu zbritën teposhteve të thikshme, pa humbë kurr udhë, pse komitët e njohin vêndin pllâmbë për pllâmbë. Në nji vênd ku daheshin udhët kryq, u ndalën: shtëpijat i kishin njâni në nji krah e tjetri në të kundërtin. Lulashi tha:

- Këtu po dahena. Mos u vono. Kush të vijë i pari ta presi shoqin. Shiko: mos ndez cingare tue më pritë se shifet drita prej post komandës.

- Mos kij gajle, - përgjegji Gjetoja. - Lâmetênzonë!

- Me Tênzonë vofsh e kjofsh.

U danë. Nji orë para se me gëdhi drita, më sa Gjetoja po kthente me hapa të shpejtë pse ishte vonue pak, ndëgjoi do pushkë të largta. U ndal, në përgjim. Pushka vijoi edhe do çasa tjerë, pastaj heshtja ktheu e madhe nëpër male të mëdhaja, qi pritshin agimin. Gjetoja, me nji frigë të paçansueshme në zêmër, u lëshue tue ngá kah vêndi i orokut. Sa mbërrîni thirri me zâ të marrun:

- Lulash! Lulash!

Kurrkush nuk dha përgjegje. Atëherë u ul galuc e priti me pushkë ndër duer, mbas do shkâmbijeve.

- Fort po vonon! E drita â kah del! - thonte me vete. Mbandej shtoi: - Mos e ka gjetë gjâ? Mos e ka marrë gjumi?

Dronte me ndezë shkrepsë e me shikue për rreth. U vû me kërkue, tue ngulë për çdo skutë syt e mësuem në terr. Pa pritë, kâmbët i ndeshën në nji trup të butë e zêmra i kërceu në fyt Përkiti: ndieu në dorë diça të voktë qi e lagu. Mori erë, shikoi mâ mirë: gjak! Kuptoi e qenë tue e lëshue kâmbët. Ngrehi trupin mbas nji shkâmbi e ndezi shkrepsën. Ishte Lulash Prela, i përgjakun, me këmishë të shporueme prej plumbave.

- Lulash! Lulash! - vikati dishprueshëm Gjeto Marku, tue harrue se post-komanda s'ishte fort larg.

E shkundte e ia fërkonte fytyrën. E ndieu trupin e shokut tue u ftofë dalkadalë. Hylli i agimit xhixhilloi në qiell ndërmjet dy thepave. Drita zû me ague. Ai, pa kujdes të gjêndarmve t'afërm, açik i rá dromit me trupin e përgjakun në krah të shokut të padamë, qi donte m'e çue ke gjint e shtëpís së tij. Lulash Prelën e kishte vrá patrolla e gjêndarmve, tue qitë kot përpjetë sepse iu ishin bâ vesvese do hije në mal. Pushkët e para e kishin rrëzue të dekun për tokë; e gjêndarmët, tue mos ndëgjue as zhurmë as zâ, ishin largue andej, pa u shkue kurrkund në mênd për vrasë të bâme. Po kur Orët lajmojnë...

IRIS HALILI

"Mekami", një melodi që nuk ushton

"Nuk di si të them!... Të vdekurit kanë jetën e tyre dhe ka shumë të ngjarë që jeta e tyre të jetë shfaqja më reale e kësaj bote fantastike!...

Kasëm Trebeshina, "Mekami", 1978.

Kasëm Trebeshina dhe lexuesit shqiptarë

Dy janë kategoritë e lexuesve shqiptarë të shkrimtarit. Grupi i parë është ai që s'e ka lexuar asnjëherë autorin "e çuditshëm" dhe grupi i dytë, fatkeqësisht më i vogli, është ai që e njeh dhe e adhuron *Solženicyn* shqiptar[1].

Nëse do të përmendim sadopak, në këtë punim, çaste nga jeta e autorit, kjo gjë do të kishte pezmatuar të parin vetë Trebeshinën. Ai gjithmonë ka këmbëngulur e ka thënë: "Jeta ime s'ka të bëjë me krijimtarinë time. Unë nuk jam disident se bëra burg, por se në veprën time iu kundërvura atij sistemi, që ishte ndërtuar në mënyrën më të komunistshme"[2].

Pavarësisht se ai ishte në kundërshtim me ndikimin e jetës së autorit në vepër, përvoja e kritikës botërore na tregon se shpesh jeta e artistëve përcakton, në mos të tërën, një pjesë të mirë të veprës së tyre.

Tipare të veçanta të artit të Trebeshinës janë rrjedhojë e jetës kaluar në kalvarin e tmerrshëm të diktaturës Hoxha në Shqipëri.

Le ta argumentojmë këtë tezë duke u ndalur te "Mekami", si një nga veprat e shkruara në kohën kur diktatura dinte vetëm të festonte "fitoret" e saj, në "vendin më të lumtur në botë"[3].

Kjo vepër përbën një rast jo të zakontë në pafundësinë e rasteve që veprat letrare krijojnë. Shkruhet më 1978-n dhe fillon marrëdhënien me receptuesin, domethënë botohet në vitin 1994. Pra, mund të themi se kjo vepër ka disa "mosha" natyrore dhe jo natyrore:

1. Mosha e marrëdhënies autor-vepër.

2. Mosha e marrëdhënies vepër-receptues.

Të dyja këto mosha janë të natyrshme në botën që krijon letërsia.

Po zakonisht shfaqen dhe "mosha" të tjera, që luajnë me një forcë të madhe dhe që po kaq shpesh ia ngrenë apo ia ulin përfundimisht vlerat veprës letrare. Në fakt, këto mosha nuk përbëjnë një proces të zakonshëm e normal në letërsi dhe pikërisht këtu qëndron pesha që ato mbartin. Duke iu referuar *Mekamit*, shohim se mosha e tretë, që ne mund t'i përcaktojmë, është ajo kohë kur kish përfunduar mosha e parë autor-vepër dhe priste të fillonte mosha e dytë, vepër-receptues. Pikërisht midis këtyre dy momenteve, vepra mbetet pa marrëdhënien me autorin dhe pa atë me receptuesin, duke jetuar për afro shtatëmbëdhjetë vjet një kohë brenda një moshe që ishte e saja, por që normalisht s'duhet të ishte.

Është më se e kuptueshme që "mëma" e kësaj moshe të tretë, që është artificiale për biologjinë e një vepre letrare, e ka burimin pikërisht te situata jetësore e Trebeshinës, në ato vite kur *Mekamit* i duhej të jetonte vlerat e tij të momentit, pra moshën vepër-receptues.

Janë vitet e burgosjeve dhe persekutimeve të Trebeshinës, që e bëjnë konkrete moshën e tretë të kësaj vepre. Është kjo rrjedhë jete që shoqëron pothuaj gjithë krijimtarinë e autorit, duke dëshmuar qartazi se mosha e tretë bëhet një fenomen i njohur i kësaj krijimtarie.

Po të ktheheshim sërish tek "Mekami", do të kuptonim se gjurmët e kësaj moshe, krijesë e mirëfilltë e biografisë së autorit, janë thuajse parësore në gjithë interpretimin që mund t'i bëhet veprës. Dhe për këtë mjafton të përmendim disa fakte:

Nëse "Mekami" nuk do të humbiste shtatëmbëdhjetë vjet në një pakohësi, atëherë ai do të vlerësohej aktualisht nga receptuesit, si një autor gati "i çmendur" për kohën dhe pa asnjë mëdyshje do të quhej disident.

Receptuesit e vitit '78 e këndej do të kuptonin rëndësinë që merrte "Mekami" në kohën kur u shkruajt. Nëse receptuesi i '78-s shihte te kjo vepër se si një autor bashkëkohor provonte të bënte sinqerisht (dhe kjo fjalë në ato kohëra ka shumë rëndësi) një panoramë të virtyteve dhe veseve shqiptare, po këtë gjë mund ta shohë dhe receptuesi i viteve '90. Ndoshta, ky i fundit, do të vërente që sot e kësaj dite s'është shfaqur ndonjë tjetër autor që t'ia kalojë Trebeshinës për nga sinqeriteti i të thënit të së vërtetës shqiptare.

Sikur "Mekami" të kishte patur fatin të botohej më 1978-n, shqiptarët e atëhershëm ndoshta do ta kuptonin më shpejt të vërtetën e realitetit të gënjeshtërt që jetonin dhe njëherazi do të kuptonin se Trebeshina nuk shkruante një letërsi të realizmit socialist, por ishte një avangardë e letërsisë shqipe, që mund të krahasohej me atë të Europës Perëndimore dhe asaj ruse.

Kështu, për shembull, po të lexosh fragmentin e mëposhtëm, kupton se autori është vënë në rolin e profetizuesit, ndërsa receptuesi i viteve '90 kupton se Trebeshina ka thënë një të vërtetë, që shqiptarëve ua kishin ndaluar me ligj e me kamxhik. Fati i Trebeshinës është më tragjik se ai i Laokoontit.

"Për shekuj me radhë gjithë historia juaj ka qenë një rrokopujë. Gjithnjë jeni qeverisur për faqe të zezë ose nuk keni pasur asnjë lloj dëshire për t'u qeverisur... Të jesh më se i sigurt se ky popull e ka një mallkim dhe do të arrijë të jetojë një kohë të zezë nën thundrën e atij lloj sundimtari! ...Perëndi e plotfuqishme! Kush do të ketë fatin e tmerrshëm që të jetojë i shtypur nga njeriu më i poshtër dhe më i pabesë që do të nxjerrë ky vend? Ata që do të arrijnë atë ditë, do të mallkojnë fatin që kanë lindur shqiptarë...!"

Sado të bënim lidhjen midis jetës dhe veprës së një autori, nuk do të justifikoheshin plotësisht. Te *Mekami* kemi dy shtjellime dhe dy pika kulminante, që në fakt janë të shkrira në një. Por ç'do të thonim për zhvillimin në vepër? Në fakt, i gjithë ndërlikimi në pjesën e parë ka të bëjë me një fakt historik të jetuar nga vetë shkrimtari dhe estetikisht të kujton montazhet në drejtimin letrar të futurizmit. Karakteri urban që merr ngjarja në pjesën e parë e përforcon këtë.

Frazat ndërtohen si të shkëputura nga copëza gazetash të kohës apo nga fjalimet e "udhëheqësit legjendar" Enver Hoxha. Receptuesi, që e ka jetuar atë kohë për të cilën flet autori (vitet përgjatë diktaturës komuniste), padiskutim i kujtohen format, fjalimet dhe sloganet politike, që ushqenin moralin komunist të ndërgjegjes klasore.

"Kapini kazmat shokë dhe me një entuziazëm revolucionar bjerini kësaj mbeturine të besimit të kotë dhe le të mos mbetet një gur nga kjo tyrbe e vjetër. Të gjithë pas meje ngrini kazmat për të shkatërruar këtë Mekam të mallkuar!"[4].

E ke pothuaj të vështirë të përcaktosh nëse ky është zhvillimi apo zgjidhja e pjesës së parë në vepër. Nëse do të pranonim si zgjedhjen që bëri turma pasi zbuloi tyrben, atëherë çka cituam më sipër është vërtet zgjidhja. Por kjo do të thotë t'i mohosh veprës pjesën e dytë.

Nëse do të pranojmë se zgjidhja është të zbulohet si u krijua "Mekami" dhe pse u quajt ai i Shenjtë dhe a është vërtet i tillë, atëherë zgjidhjen duhet ta gjejmë në pjesën e dytë.

Pra, mund të flasim vetëm për një zgjidhje dhe kjo fillon pas faqes 21, ku dhe kemi pikën e dytë kulminante, që, siç thamë, identifikohet me pikën e parë. Zgjidhja që jep Turku është rrëfimi për një histori romantike dashurie mes vëllait të tij dhe të bijës së Spiro Gozos.

Sikur edhe thamë, tyrbja nuk mban gjë tjetër veç kufomave të dashurisë së parealizuar të tyre.

Është shumë e vështirë të përcaktosh qartë pse krijohet ky përfundim, por ne mund të supozojmë disa variante, ku më i mundshmi është ai artistik dhe ka të bëjë me efektin-surprizë, që në këtë rast është efekt i së kundërtës.

Kur nis një tekst i titulluar *"Mekami"*, receptuesi merr një informacion të parë, sipas së cilit ai do të të përjetojë estetikisht diçka që ka të bëjë direkt apo indirekt me një vend të shenjtë.

Shumë shpejt (që me pikën e parë kulminante), receptuesi ndjen efektin-surprizë dhe kupton se nuk ka të bëjë vërtet me një Mekam të Shenjtë. Këtë do ta përcjellë një efekt i dytë surprizë, që do të zbulojë çfarë fshihet pas këtij vendi, që njerëzit e kanë konsideruar të shenjtë.

Kështu pikave kulminante u afrohet zgjidhja e rrëfimit të historisë së krijimit të Mekamit të Shenjtë. Në aspektin emotiv, receptuesi i përgatitur të ndjejë diçka, ndjen diçka krejt të kundërt, që gjithsesi nuk është ajo që kishte pritur.

Ajo çka vërtet është përgatitur të presë receptuesi, është të paktën shenjtërimi i historisë, që fshehin kufomat brenda varrit. Por Turku, që luan edhe rolin kryesor të narratorit në realitetin e dytë, as që ka ndër mend ta bëjë këtë, por thjesht dëshiron të tregojë një histori dashurie, të ndodhur brenda historisë së një lufte, pse jo dhe brenda fatit të një kombi. Në aspektin emotiv, ndjesia nga një kah shkon në një kah krejt të kundërt. Sidomos te novela dhe tregimi, kjo gjetje është shumë e ndjeshme. Është pikërisht kjo zgjidhje e shpejtë që e largon sërish veprën "Mekami" nga romani dhe e afron përsëri me novelën.

Megjithatë, këtu problemi mund të mos jetë vetëm i marrëdhënies vepër-receptues, por edhe i marrëdhënies autor-"roje-receptues", ku, duke krijuar një term, le të quajmë "roje-receptues" atë lloj receptuesi që vihet në rolin e censurës (apo autocensurës, nëse autori do të vihej në pozicionin e lexuesit të parë të veprës dhe që merr të drejtën të "disiplinojë" një krijimtari letrare).

Kjo analizë do të na bënte të gjykonim se, për t'ju shmangur pikërisht kësaj "disipline", autori e mbyll Mekamin siç do t'i pëlqente "roje-receptuesve" ta mbyllnin.

Gjithsesi, këtë arsyetim e hedhin poshtë dy fakte:

1. Do ta merrnim si të vërtetë vetëm nëse Trebeshina besonte se me një mbyllje të tillë, ai do të mundte të kapërcente pragun e botimit. Por, në kohën kur u shkrua kjo vepër, vetëm një naiv mund të shpresonte se mund të botohej.

Kështu që logjika e ftohtë na bën të besojmë se zgjidhja që i dha Trebeshina veprës është pjesë e artit të tij dhe jo e kompromisit përtej letrar, gjë që me sa duket ai nuk e njihte.

2. Arsyeja tjetër që na bind është se kemi të bëjmë thjesht me gjetje artistike, është fakti se kjo vepër, si pothuaj gjithë krijimtaria e Trebeshinës, të tregon se është shkruar nga një shkrimtar besimtar e fetar, ndaj ka pak arsye që duhet ta kenë shpënë drejt ateizmit.

"Po! Ne bëhemi të mirë vetëm kur themi lutjet tona dhe bëhemi të njerëzishëm vetëm në luftë. Zot i Madh. Vetëm përpara luftës dhe përpara vdekjes ne ndihemi njerëz, kurse gjithë vitin, gjatë mbretërimit të paqes, ne bëhemi armiq për njëri-tjetrin dhe të gjitha veprimet tona synojnë si ta dëmtojmë më shumë të afërmin dhe si të nxjerrim një përfitim sa më të madh për veten tonë"[5].

Po të sillnim në ndihmë psikoanalizën, do të ishte sërish Frojdi që do të na orientonte dhe që me arsyetimet e tij do t'i përgjigjej pothuaj plotësisht problemit që sapo shtruam dhe ndoshta do të zbuste disi mendimet që dhamë për të kundërshtuar pikën e parë.

Duhet cituar lidhja që i bën babai i psikoanalizës letërsisë me ëndrrat. "Vepra e artit i ngjan procesit të transformimit të ëndrrës që analizon", thotë ai[6]. Mund të themi se një ndër sukseset e interpretimit të ëndrrave nga Frojdi, ishte dhe përcaktimi i censurës edhe brenda vetë ëndrrës. Sipas kësaj logjike, asnjëherë nuk duhet ta përjashtojmë autocensurën në krijimtarinë artistike.

Frojdi ka marrë shembuj nga vetë letërsia. Ai përcaktonte se si protagonistët kryesorë, në shumë kryevepra letrare, përjashtojnë fajin nga vetvetja, duke u larguar kështu nga ajo që ai e quan *veshje negative* (kështu autorët ruheshin nga censura dhe autocensura e të gjitha llojeve).

Këtë situatë vetëpërjashtimi apo shfaqësimi e gjejmë edhe në pjesën e fundit të tekstit, që vetë Trebeshina e quan "Antihistoria": *"Ti e di mirë! "Mekami" i Shenjtë nuk ishte Mekam dhe as i Shenjtë!"*.

Ndryshe nga kolosët botërorë, Trebeshina zgjedh ta largojë

veshjen negative jo me një veprim të një protagonisti, por me përcaktimin e një varri, që kushtëzon veprimet e një turme.

T'i pranosh "Mekamit" këtë analizë psikoanalitike, do të thotë të pranosh se Trebeshina s'i ka shpëtuar censurës "policore" të regjimit komunist të kohës, çka do të thotë se estetika e krijimtarisë së tij i është nënshtruar vetvetishëm etikës së kohës.

Nëse te klasikët, largimi nga e ashtuquajtura *veshje* *negative* bëhet si një zgjidhje e brendshme e personazheve të tyre, ndërkohë që receptuesit janë të qartë se ata e kanë kryer krimin, tek Trebeshina bëhet si një zgjidhje përfundimtare e autorit, ku largimi nuk është gjë tjetër vetëm largim nga e vërteta, që morali i kohës e vishte si negativ dhe e quante "fe". Pra, në qoftë se te klasikët, ajo çka thonë protagonistët nuk besohet, te "*Mekami*", ajo çka thotë autori në fund të veprës vështirë se besohet. Është aftësia e shkrimtarit që spikat në të dyja rastet: të flasë për diçka duke u përpjekur të të bind për të kundërtën.

Gjithë këtë mekanizëm, në shumë raste, e lëviz censura apo autocensura, që gjithsesi është shfaqje e pavetëdijes së shkrimtarit, pavarësisht nëse ai është i ndërgjegjshëm për këtë. Në të gjitha rastet, përfundimi që jep Trebeshina, nuk është një stërmundim, por, përkundrazi, është rrjedhë etiko-estetike e gjithë veprës. Është një përfundim i vetvetishëm, siç është pothuaj i ndërtuar në mënyrë të vetvetishme i gjithë ky *fiction* (do të thonim e gjithë letërsia që Trebeshina na ofron) dhe që na bën të na kujtohet sërish Kafka, shkrimtari më *sui generis* të shekullit XX, apo *Virgina Woolf*, shkrimtarja më origjinale e shekullit, sipas shumë studiuesve.

Përfundimisht, mund të themi se vepra e Kasëm Trebeshinës, del nga kornizat e letërsisë që jemi mësuar zakonisht t'i shikojmë shkrimtarët shqiptarë të kohës së tij. "Mekami" të kujton shumë nga krijimtaria moderne bashkëkohore, ku diferenca midis llojeve brenda fikshionit është e papërcaktuar.

Kjo vepër e Trebeshinës shfaqet pak a shumë si roman i ndërtuar mbi dy shtrirje, dy pika kulminante që lidhen duke u shkrirë me njëra-tjetrën, por që mund të rrinë edhe më vete pa u përjashtuar. Kapërcehen kështu kufijtë ku lëviz përcaktimi i romanit si gjini e veprës. Pa mundur t'ia bëjmë vërtet përcaktimin, këtë vepër të Trebeshinës e klasifikojmë thjesht dhe ndërlikueshëm si *fiction*, që prezanton një letërsi me vlera të veçanta në letrat bashkëkohore shqiptare. Guxojmë të themi, edhe përtej atyre shqiptare.

Realja, fantastikja, e vërteta, e besueshmja dhe emocionalja

Raporti i reales me fantastiken (jorealen) në art është një problem, që e ka shqetësuar etikën dhe estetikën që kur lindi gjykimi për artet. Vështirësia e një studiuesi kur gjykon një vepër arti është të bëjë raportin midis asaj që shfaqet si e vërtetë dhe e asaj që shfaqet si jo e tillë. T'i hysh kësaj etike sigurisht do të duhej ndoshta një punim i një karakteri tjetër. Megjithatë ta përjashtosh krejtësisht këtë debat, kur je duke u përpjekur të studiosh *Mekamin*, është si t'i anashkalosh një problem, që ka shumë hapësira diskutimi te vepra që kemi në referim.

Gjithmonë mendja njerëzore ka bërë një lidhje intuitive midis reales artistike dhe të vërtetës artistike. Duke u kthyer te fiction-i, si një lloj letërsie, ne kemi pranuar si reale gjithçka, që e kemi gjykuar si të vërtetë të shfaqur në realitetin njerëzor dhe natyror.

E vërteta në një fiction është thjesht e vërteta e një historie të zakonshme, që shfaqet nëpërmjet një bote të sajuar ose jo. "Çfarë është thënë në një tekst, së bashku me informacionet e mëparshme, përbëjnë të vërtetën në një *fiction*"[7].

E gjitha kjo do të thotë se, megjithëse është pranuar si një trillim i autorit, kjo nuk përjashton idenë që brenda këtij trillimi të mungojë e vërteta, domethënë ajo, që ne si receptues e pranojmë si reale. Sigurisht që gjithçka e lëviz ndjesia e besimit dhe bindja që krijohet për të marrë si të vërtetë historinë që rrëfehet. Duke u kthyer te *"Mekami"*, bëjmë pyetjen:

A mundem unë, si receptues, ta besoj si reale-të vërtetë

gjithçka që autori na e rrëfen?

Po ta shikosh me vëmendje *Mekamin*, vë re se, boshtet kryesore të dy realiteteve që krijohen, e marrin fabulën nga historia e vërtetë e Shqipërisë. Realiteti i parë flet për ngjarje të jetuara në kohën e diktaturës Hoxha, pikërisht për luftën histerike që udhëhoqi e vetmja parti e asaj kohe kundër besimit fetar të të gjitha llojeve. Realiteti i dytë merr shkas nga lufta e Beratit, në kohën e pushtimit turk të Shqipërisë. Kjo gjetje artistike rrit besueshmërinë e tekstit dhe bile shtyn receptuesin ta besojë ngjarjen si një të vërtetë të padiskutueshme historike.

Nëse do të flitej për njerëz, ngjarje dhe vende që receptuesi as i njihte, as i kishte dëgjuar dhe as i kishte parë ndonjëherë, do të kishte qenë më e vështirë për t'u besuar.

Por si do t'i përgjigjeshim pyetjes të së vërtetës-reale, domethënë, si do t'i kishim punët me besueshmërinë? Sqarojmë se përsa i përket ndjesisë emotive, kjo, pak a shumë, ka të njëjtat ngjyrime kushdo qoftë receptuesi. Domethënë, habia dhe befasia që ngjall prishja e vendeve të shenjta, ka të njëjtat vlera tek të gjithë, por besueshmëria nëse ky fakt është vërtet i tillë dhe nëse mua si receptues më bën të ndjehem keq, është i diskutueshëm. Ngulshëm duam të pyesim: A besohet si i vërtetë ky realitet i parë? Po i dyti, që ka të bëjë me një luftë? Së fundi, a besohet si i vërtetë vetë ky *fiction*? Mund të ketë disa përgjigje "të ftohta", por vetëm se "ngrohja" emotive që përjetojmë sikur ngjarja të kish ndodhur vërtet, na çorienton e nuk na lejon të kthjellohemi.

Sepse magjia e artit është të provojë te ne emocione të fuqishme, sikur ne të jemi përballë realitetit të sapondodhur. Është efekt logjik, jo vetëm psikologjik. *Fiction*, si një lloj arti ku fantazia e autorit trillon me gjithçka: me vendet, njerëzit apo ngjarjet dhe e fut receptuesin në lojën e tij, aq sa ky e ka gati të pamundur të dallojë ku fillon fantazia e autorit dhe ku mbaron ajo e vetë lexuesit. Është pikërisht kjo që e bën receptuesin, kushdo qoftë ai, të hyjë aq shumë në lojën e veprës, saqë ta ketë gati të pamundur të mos e pranojë të vërtetën e saj, qoftë kjo historike apo metafizike.

Receptuesi i *Mekamit* (shqiptar apo i huaj) e ka të pamundur të mos e besojë si të vertetë-reale gjithçka thuhet në të.

Thonë se njerëzit shpesh imagjinojnë çfarë ata njohin si të vërtetë[8]. Këtu, fjalën "imagjinoj" duhet ta kuptojmë si sinonim të fjalës "besoj". Vetëm kështu mund të shpjegohet fakti që të vërtetën e besojmë si të tillë nëpër librat e tipit *fiction*. Ndoshta kemi dhënë kështu edhe një shpjegim tjetër se pse shumë njerëz fillojnë ta mësojnë historinë, filozofinë apo psikologjinë, duke u nisur nga tekstet letrare. Kaq, përsa i përket ngjarjeve reale në *fiction*.

Por si do të shfaqej ndryshe, nëse do të flisnim për ngjarje joreale, domethënë fantastike, siç është ajo e lidhjes që i bën Trebeshina Shqiptarit dhe Turkut, apo vetë kohës reale që kthehet gati në ajër të padukshëm?

Si mund të besojë receptuesi që personazhe si Shqiptari, i sapozgjuar nga gjumi, takoi një njeri të lashtësisë (një tjetër personazh, Turkun), në një kohë kur në fillim ishte koha kur jetonte Shqiptari dhe pak nga pak u bë koha kur jetonte Turku?

Kjo është koha e miteve, e përrallave, e ferrit dantesk, e hijes së atit të Hamletit. Në këto raste, kemi një mbarsje të fantazisë së autorit.

Fantastikja, si një ndër shoqërueset më të lashta të letërsisë, asnjëherë s'është përjashtuar nga e vërteta, pavarësisht se, ndryshe nga realja, e ka patur më të vështirë të jetë e besueshme.

Këtë analizë ne e bëmë në pjesën e parë të punimit, ku dhe pamë se vetëm estetika na ndihmoi të shpjegonim realitetin që krijon ky libër.

Në të njëjtën rrugë ecën edhe çdo receptues gjatë leximit të Mekamit dhe kështu jorealja zbërthehet për të ardhur tek e vërteta-reale, që e besojmë si të tillë.

Pra, pyesim: Ato çka shfaqen te "*Mekami*" janë:

1. Shembuj të vërtetë, që janë të tillë edhe në botën ekzistuese?

2. Shembuj të vërtetë, që ne si receptues i besojmë të tillë në botën ekzistuese?

3. Shembuj të vërtetë, që autori i beson të jenë të tilla në

botën ekzistuese?

Kuptohet se jorealja e gjen veten në dy shembujt e fundit.

Pak më parë folëm për besimin që krijohet kur vetë fiction sjell shembuj, që janë të pranueshëm në botën ekzistuese dhe kështu iu përgjigjëm pyetjes së parë, duke shtuar se këtu besimi është pjesë e përvojës që mbart me vete çdo receptues.

Sqaruam edhe pse shpesh receptuesi i beson si të vërteta faktet, ku përveç përvojës informative të mëparshme merret si e mirëqenë edhe forca estetike e vetë veprës, që aktivizon përfytyrimin e receptuesit, duke e vënë atë në rol aktiv.

Në rastin e tretë, do të thonim se, për të qenë i vërtetë një *fiction*, s'është e nevojshme nëse autori beson tek ajo që thotë.

Trebeshina, për shembull, vërtet beson se prishja e vendeve të shenjta ishte një gabim i madh, por kjo është një e vërtetë e tillë e trilluar *(fictional)* edhe nëse autori s'e beson një gjë të tillë. Autori gjithë kohën beson në ashpërsinë e natyrës shqiptare, por s'mjafton për të thënë se kjo është gjithçka tjetër që përcakton fatin e vërtetë të shqiptarëve. Të vërtetat-reale në këtë rast i bëjnë të besueshme situatat e tjera të pranishme.

Ky arsyetim që bëmë deri më tani, të çon në përfundimin se realja, e vërteta dhe e besueshmja bëhen të tilla vetëm kur ato pranohen edhe nga receptuesi. Kjo do të thotë se nuk mund të përjashtohet roli i tij në jetën e një vepre, madje shpesh ky rol bëhet parësor.

Gjithsesi, për të ardhur te realja-e vërtetë apo besimi, duhet të paktën të ketë një përqindje nga secili prej shembujve që përmendëm më sipër.

Kuptohet se do të përbënte rastin ideal po të kishim të sinkronizuar të tre shembujt së bashku. Gjykojmë se te "Mekami" afrohet një situatë e tillë.

Por realja, e vërteta dhe e besueshmja *(fictional)* është e arrirë edhe sikur të shfaqet vetëm njëri prej dy shembujve të parë.

"Mekami", klasik apo modern?!

Në një intervistë dhënë në shtypin shqiptar, Kasëm Trebeshina shprehet: "Unë jam me Sofokliun"[9]. Në të vërtetë, shpesh mendimet e shkrimtarëve për veprën e tyre janë në kundërshtim me atë të kritikës për ta. Në rastin e Trebeshinës vihet re një ndarje si e prerë midis mendimit të kritikës dhe atij të shkrimtarit. Kështu, nëse mendimin e autorit për veprën e tij e njohim pjesërisht, gjykimi i kritikës është se kemi të bëjmë me një krijimtari moderne, bile e kanë e quajtur edhe absurde. Nuk është rasti të ndalemi gjerësisht në këto gjykime, që gjithsesi mbeten vetëm disa të tilla, por është rasti t'i bëjmë pyetjen vetes: "A është "*Mekami*" edhe një vepër klasike?"

Themi se po, "*Mekami*" ka karakter klasik. Klasikja në këtë vepër është njëherësh pjesë e estetikës dhe etikës, duke e bërë edhe më komplekse tezën që thamë.

E gjithë vepra është ndërtuar nga dialogë, që të kujtojnë tragjikët e vjetër. Duke qenë një shkrimtar që aplikon edhe gjininë dramatike, Trebeshina·e njeh shumë mirë forcën e dialogut, që, i lidhur me monologun e shkurtër, krijon një linjë të vetme, aq sa receptuesi e ka të vështirë të dallojë ku fillon njëri dhe ku mbaron tjetri. Kjo shfaqje është e vështirë të konceptohet si klasike, pasi, duke filluar me tragjikët e vjetër dhe duke shkuar te ndër më të mëdhenjtë autorë klasikë, si Shakespeare, e kemi gati të pamundur të dallojmë qoftë edhe një rast të vetëm ku dialogët dhe monologët ndërthuren natyrshëm për t'u bërë "një".

Është ky moment që na bën të theksojmë edhe një herë se sa moderne shfaqet proza e Trebeshinës, që çuditërisht e gjejmë kaq pranë e kaq të ngjashme me atë të Franz Kafkës.

E gjithë struktura e kësaj vepre është e ndërtuar në mënyrë të tillë, që të kujton korin e tragjedive antike dhe skenat që vinin menjëherë pas tij. E këtu rolin e korit e luajnë ato fragmente, që autori i ka quajtur "kapituj", ndërsa rolin e ngjarjes, që paralajmëron kori në tragjedinë antike, e titullon "prokapitull".

Janë pikërisht kapitujt ata që paralajmërojnë në mënyrë filozofike ç'do të tregojë prokapitulli. Në të gjitha rastet, kapitulli shpreh në mënyre lakonike ngjarjen që do të tregojë prokapitulli, e paralajmëron atë ose na përgatit emocionalisht për të shkuar tek ajo.

Ka dhe raste kur fundin e ngjarjes prokapitulli nuk e jep, pasi atë e ka thënë qartë ose në mënyrë filozofike kapitulli (që herë pas here më ngjan me prologun e tragjedive antike). Struktura ku ngrihet si kapitulli dhe prokapitulli, është dialogu. Aq harmoni ka midis dialogëve në kapituj dhe prokapituj, sa e ke gati të vështirë t'i veçosh ata në dy linja.

Megjithatë, nëse te kapitujt, personazhet janë të paidentifikuar, te prokapitujt identifikohen disi. Dhe kur themi disi, kuptojmë që receptuesi e ka sërish të vështirë të përcaktojë kush po flet.

Duket se Trebeshinës i pëlqen kjo fshehtësi.

Kapitulli i shtatë

- Dashuria është një pemë e madhe që rritet në qiell, por mbështjellë në Tokën tonë merr formën e një shpendre.

- E donin ata të dy njëri-tjetrin?

-Nga ta di unë? Ata u takuan në qiell dhe u nisën Kashtës së Kumtrit për në Kopshtet e Paradizit![10].

Prokapitulli i shtatë

" ...Ka kalur një kohë shumë e gjatë... Vite dhe shekuj kanë rënë në humnerën e kohëve dhe unë gjer më sot e kësaj dite nuk arrij ta kuptoj dashurinë, atë dashurinë e tyre. Ata nuk kishin folur kurrë një fjalë mes tyre, por e donin njëri-tjetrin me një dashuri që nuk ishte e kësaj toke dhe kalimi i kohës e tregoi se ajo ishte tërësisht e vërtetë"[11].

Është për t'u theksuar se Trebeshinës i pëlqen të sjellë në veprën e tij edhe imazhet e subjekteve klasike. Kështu, dashuria midis vëllait të Turkut dhe vajzës së Spiro Gozos, të kujton pasazhet romantike tek "Eposi i Kreshnikëve" apo platonizmin te "Romeo dhe Zhuljeta".

Ndërkohë, filozofime të tilla: *"...Shumë keq!... Shumë keq! ...Nuk është e njerëzishme t'u prishësh gjumin dhe paqen e përjetshme të vdekurve. Gjithë popujt e qytetëruar nuk guxojnë të ndërmarrin një veprim të tillë të urryer..."*[12], të kujtojnë klithmat e Antigonës në tragjedinë e Sofokliut. Megjithëse Trebeshinën nga Sofokliu e ndajnë mijëra vjet, tek të dy gjejmë të njëjtin problem: atë të së drejtës hyjnore të të vdekurve për t'u prehur në paqe, si dhe pamoralin e diktaturave që shkelin edhe mbi ligjet supreme dhe të pashkruara njerëzore.

Dihet se kori në teatrin e lashtësisë hyri si një element skenik, pasi në amfiteatret e antikitetit mbushur me mijëra spektatorë, nuk mund të dëgjohej zëri i vetëm i një aktori. Në atë kohë, autorët tragjikë i njohën korit elemente të tjera estetike dhe etike, midis të cilave ishte roli prezantues i tij.

Duke marrë nga kori antik këtë element prezantues, shohim se kapitujt Mekami, shfaqen si përsiatje filozofike e që të gjithë së bashku do të përbënin një mendim të vetëm filozofik.

Këtu Trebeshina do të ishte sërish pranë modernëve të shekullit të 20-të, që nuk i shqetësojnë problemet e moralit, por ato metafizike.

T'i pranosh kësaj vepre këto shtjellime, do të thotë të pranosh një strukturë të re për *Mekamin*, ku s'do të mund të flitnim më për dy realitete, por për njëmbëdhjetë të tilla, të gjitha me njëmbëdhjetë shtjellime (që janë kapitujt) dhe njëmbëdhjetë zhvillime filozofike dhe pika kulminante që i gjejmë te prokapitujt.

Do të pranonim vetëm një zgjidhje, sërish filozofike dhe që e gjejmë te pjesa e fundit, "Antihistoria" dhe që neve si receptues na ngjason me epilogun e veprave të antikitetit.

Ndërkohë do të kishim përsëri letërsi të tipit *fiction*, por që këtë herë është shumë afër edhe për nga struktura me aktet në tragjeditë antike. Që "*Mekami*" ka shumë të përbashkëta me gjininë dramatike, kjo duket që në fillim të strukturës.

Si përfundim, mund të thonim se të pranosh që Kasëm Trebeshina është shkrimtar modern nuk do të thotë se përjashton faktin se ai shfaqet edhe si klasik, sidomos po të kihet parasysh se modernët e kanë prezantuar veten gjithmonë nëpërmjet eksperimentimeve të formave dhe subjekteve klasike.

Këtë bën Trebeshina në gjithë krijimtarinë e tij, duke qenë kështu klasik dhe modern njëherësh.

"Gurri i varrit është më i rëndë se vetë Atdheu..."
Kasëm Trebeshina, "Mekami", 1978

(Studimi i plotë do të përfshihet në librin "Letërsia në psikoanalizën e Frojdit dhe dilemat ekzistenciale", që do të botohet së shpejti.)

1. Bëhet krahasimi i Trebeshinës me shkrimtarin rus të shekullit XX, sepse edhe Trebeshina, më 1953-shin, i dërgon letër të hapur diktatorit komunist Hoxha, sikundër Solženicyn më 1967 (5 qershor), boton në "New York Times" një letër të hapur për shtetin komunist të Bashkimit Sovjetik. Kalvari që i ndoqi të dy është i njohur.
2. Bisedë private e autores me Kasëm Trebeshinën, më 18 dhjetor 1995.
3. Regjimi komunist u vendos më 1944-n dhe u rrëzua më 1991-shin, kur u mbajtën për të herë të parë zgjedhjet shumëpartiake në Shqipërinë Socialiste. Këto janë parrulla "cliché" të përdorura nga ky regjim diktatorial, për t'i bërë shplarje truri masës së popullit.
4. Po aty, fq. 11
5. Trebeshina K. (1978), "Mekami". Shtëpia botuese "Buzuku", Prishtinë, 1994, fq. 44
6. Lavagetto, Frojdi, letërsia dhe tjetër (Freud, la letteratura e altro), kapitulli: Për një teori të censurës (Per una teoria della censura). "Einaudi", Torino, 1985. fq.313.
7. Gregory Currie, Natyra e fictionit (The nature of Fiction), Cambridge, 1990. fq.70.
8. Christopher New. Gazeta angleze e estetikës (British Journal of Aesthetics). Nr.2. 1996.
9. Mendime të Kasëm Trebeshinës në gazetën Koha jonë, 1996.
10. Trebeshina K. (1978), Mekami. Shtëpia botuese "Buzuku", Prishtinë, 1994, fq. 57.
11. Po aty, fq. 66.
12. Po aty, fq. 19.

Printed in the USA
CPSIA information can be obtained
at www.ICGtesting.com
LVHW042349300923
759799LV00041B/690